CIUDAD FANTASMA

RELATO FANTÁSTICO DE LA CIUDAD DE MÉXICO (XIX-XXI) TOMO I

SELECCIÓN, PRÓLOGO Y NOTAS DE BERNARDO ESQUINCA Y VICENTE QUIRARTE

NARRATIVA

PROVEEDORA
escolar
¡LIBROS PARA TODOS!

DERECHOS RESERVADOS
© 2013 Editorial Almadía S.C.
 Avenida Independencia 1001
 Col. Centro, C.P. 68000
 Oaxaca de Juárez, Oaxaca
 Dirección fiscal:
 Calle 5 de Mayo, 16-A
 Santa María Ixcotel
 Santa Lucía del Camino
 C.P. 68100, Oaxaca de Juárez, Oaxaca
© 2013 De la selección y prólogo: Bernardo Esquinca y Vicente Quirarte.
© Artemio de Valle-Arizpe por "La Llorona".
© José María Roa Bárcena por "Lanchitas".
© Sergio González Rodríguez por "La noche oculta".
© Rafael Pérez Gay por "Venimos de la tierra de los muertos".
© Mauricio Molina por "La noche de la Coatlicue".
© José Ricardo Chaves por "¿Con qué sueña el vampiro en su ataúd?"
© Héctor de Mauleón por "Los habitantes".
© Alberto Chimal por "La mujer que camina para atrás".
© Ignacio Padilla por "El año de los gatos amurallados".
© Rodolfo J. M. por "A pleno día".
© Gonzalo Soltero por "Nadie lo verifique".
© Bibiana Camacho por "Espejos".
© Pacheco, José Emilio, *El principio del placer*, Ediciones Era, México, 2012.
D.R. © (1956) Alfonso Reyes por "La cena"
 FONDO DE CULTURA DE ECONÓMICA.
D.R. © (2000) Salvador Elizondo por "Teoría del Candingas".
 FONDO DE CULTURA DE ECONÓMICA
 Carretera Picacho-Ajusco 227, C.P. 14738, México, D.F.
 Esta edición consta de 1500 ejemplares.

www.almadia.com.mx

Primera edición: febrero de 2013
Primera reimpresión: noviembre de 2013
ISBN: 978-607-411-116-3

Impreso y hecho en México

CIUDAD FANTASMA

RELATO FANTÁSTICO DE LA CIUDAD DE MÉXICO (XIX-XXI) TOMO I

SELECCIÓN, PRÓLOGO Y NOTAS DE BERNARDO ESQUINCA Y VICENTE QUIRARTE

Almadía

PRÓLOGO

PROLOGO

I

Librería *Inframundo*, calle de Donceles, Centro de la Ciudad de México. Una leyenda urbana sostiene que en esos lugares de *libros leídos*, como los llama Héctor Abad Faciolince, ubicados en el segmento de la urbe que va de las calles Brasil a Palma, existen en conjunto, tanto en locales como en bodegas sólo accesibles a iniciados, más de dos millones de volúmenes. Tras dar por concluida la cacería bibliográfica y bibliómana de la jornada, Gregorio Monge –lector ágrafo, desinteresado y hedonista, erudito clandestino, explorador de toda clase de bajos fondos– nos lanzó una de sus frases lapidarias y provocadoras:

–¿Cuántos fantasmas hay en esta calle?

Volteamos a vernos antes de responder a quien siempre habla con paradojas:

–¿Quinientos?

–Dos millones.

–Todos –respondió, categórico, Monge.

Tras haber depositado en la caja los libros elegidos esa tarde, que recogería después de concertar serenamente su precio, a la hora que mejor conviniera a vendedor y comprador, Monge nos invitó a salir de la librería. En unos cuantos pasos nos llevó frente a la placa, sobre la propia calle de Donceles –entonces Cordobanes– que consigna el lugar donde estuvo la casa de Joaquín Dongo.

–Aquí sucedió. Ya no está la casona pero sí la memoria. Los edificios guardan energía de lo que ocurrió en ellos. Los escritores llamados colonialistas sabían que cada puerta, cada ladrillo, cada arco conserva la huella de quienes los vivieron con todos los sentidos. Por eso exaltaron hitos, calles cuyos nombres provienen de las leyendas que tuvieron lugar en sus espacios. La noche del 23 de octubre de 1789 aquí fueron asesinadas once personas, cuando apenas comenzaba el mandato de don Vicente Güemes y Pacheco, conde de Revillagigedo, como virrey de la Nueva España. Una de sus primeras medidas fue localizar a los culpables y aplicarles la pena capital en una ejecución pública, a garrote vil, el 7 de noviembre de ese mismo año.

En el café Río de la propia calle de Donceles, Monge siguió con su discurso. Habló de la casa de la *Aura* de Carlos Fuentes, más cierta en la imaginación que en la topografía real de la calle y, por lo mismo, más verdadera. Se refirió al proyecto de Ignacio Ramírez y Guillermo Prieto para escribir *Los misterios de México*, inspirados en *Los misterios de París* de Eugenio Sue, que llevó a escritores de todas las latitudes a descifrar los enigmas urbanos que estaban frente a los ojos de quienes los miraban sin observarlos.

–Como la placa de la familia Dongo –continuó Monge–. Ustedes que frecuentan las oscuridades del alma, ¿por qué no hacen un libro donde elijan textos de autores que hayan escrito cuentos sobrenaturales que tengan como escenario o personaje a la Ciudad de México? Toda gran urbe es, en metáfora del poeta Francisco Hernández, un *imán para fantasmas*. La nuestra, con su antigüedad y su superposición de tiempos, sudores, razas, lenguas y pasiones, es uno de los más grandes acumuladores de energías e historias.

Antes de retirarse, Monge apuntó en su inseparable libreta una frase. Arrancó la hoja y nos la entregó.

—A ver qué les dice este epígrafe del maestro Guillermo del Toro. Me avisan cuando tengan lista la selección de esta ciudad fantasma y volvemos a vernos.

En la apretada caligrafía de Monge, transcripción de su prodigiosa memoria, se leía: "¿Qué es un fantasma? Un evento terrible condenado a repetirse una y otra vez. Un instante de dolor quizá, algo muerto que parece por momentos vivo, un sentimiento suspendido en el tiempo, como una fotografía dolorosa, como un insecto atrapado en ámbar".

II

Estas páginas pretenden ser la respuesta al desafío de Gregorio Monge. De acuerdo con Luis Miguel Aguilar, el poema "El sueño de los guantes negros", de Ramón López Velarde, debe su inspiración a *"The City under the Sea"* de Edgar Allan Poe. En ése, al igual que en otros textos, la Ciudad de México aparece como escenario fantasmal que la convierte en hechicera, escenario activo, surtidor de tradiciones y leyendas o de sucesos que entran en la categoría de lo extraño, lo ajeno a lo doméstico: lo siniestro, la incursión en la otredad. La presente antología es una invitación a internarse en *Los más nuevos misterios de México*, esos que desde el pretérito más remoto o bajo la luz del sol en tiempo actual, constituyen alteraciones radicales de la normalidad: más que un escenario, la capital mexicana es un personaje que actúa con vida propia o es determinante en las acciones de quienes constituyen su sangre, de la cual ella —supremo vampiro— igualmente se alimenta.

Esta selección está formada exclusivamente por cuentos donde la capital es motivo primordial. En un principio pretendimos incluir leyendas en verso, como las escritas por Juan de Dios Peza, o un fragmento del guión escrito por Xavier Villaurrutia basado en la leyenda de la Mulata de Córdoba, desde nuestro punto de vista la mejor versión que sobre ella se ha escrito, por su ambientación urbana, su dinamismo, la riqueza de sus voces de la calle. Sin embargo, nuestra opción final fue el relato, por la brevedad, intensidad y efecto exigidos por Edgar Allan Poe, cualidades que permiten al lector sumergirse en él de un solo clavado.

Abre esta antología la versión que Artemio de Valle-Arizpe hizo de la leyenda de la Llorona, una de las más antiguas de la Ciudad de México, pues se remonta a la época prehispánica, donde las mujeres muertas en parto o *cihuateteos* acechaban a los incautos con su rostro descarnado en los cruces de caminos. Dicha leyenda comprueba que un solo suceso da pie a multitud de interpretaciones, como las que en su momento recogió Robert Howard Barlow, amigo de Lovecraft y distinguido antropólogo que murió en tierras mexicanas. El texto de Valle-Arizpe, al igual que los demás incluidos en los dos tomos en los que se divide este proyecto, pertenecen a un canon: el de los narradores –vivos o muertos, jóvenes o veteranos– que han sabido ver el otro rostro de la ciudad, aquél donde asoman presencias, fuerzas y enigmas que le otorgan identidad, tanto como las piedras y calles sobre las que se levanta.

Confiamos en que la riqueza de esta *Ciudad fantasma* lleve al lector a pensar la urbe como lo que es: un escenario intenso, dinámico, inagotable, cuyo pasado está más presente y vivo que nunca.

Felices pesadillas.

Bernardo Esquinca y Vicente Quirarte
Diciembre de 2012

LA LLORONA
Artemio de Valle-Arizpe

Artemio de Valle-Arzipe (1888-1961) hizo de la época colonial el eje de sus trabajos. Ninguno entre los autores mexicanos llamados colonialistas tuvo su riqueza de vocabulario, conocimiento de decorados, objetos, frases y hábitos de la época virreinal para emprender excursiones al pasado y ver la capital mexicana como un gran repositorio de sucesos; así lo demuestra su muy útil antología *La gran Ciudad de México según relatos de antaño y ogaño* (1918). En el libro *Historias, tradiciones y leyendas de calles de México. Tomo I* (1957), al cual pertenece su presente versión de "La Llorona", Valle-Arizpe toma algunos de los sucedidos más sensacionales de la imaginación colonial para insertarlos en historias aterradoras, clásicas del género.

¿Quién era el osado que, por más valiente que fuera, se atreviese a salir por la calle pasando las diez de la noche? Sonaba la queda en Catedral y todos los habitantes de México echaban cerrojos, fallebas, colanillas, ponían trancas y otras seguras defensas a sus puertas y ventanas. Se encerraban a piedra y lodo. No se atrevían a asomar ni medio ojo siquiera. Hasta los viejos soldados conquistadores, que demostraron bien su valor en la guerra, no trasponían el umbral de su morada al llegar esa hora temible. Amedrentada y poseída del miedo estaba toda la gente; él les había arrebatado el ánimo; era como si trajesen un clavo atravesado en el alma.

Los hombres se hallaban cobardes y temerosos; a las mujeres les temblaban las carnes; no podían dar ni un solo paso; se desmayaban o, cuando menos, se iban de las aguas. Los corazones se vestían de temor al oír aquel lamento largo, agudo, que venía de muy lejos e íbase acercando, poco a poco, cargado de dolor. No había entonces un corazón fuerte; a todos, al escuchar ese plañido, los dominaba el miedo; poníales carne de gallina, les erizaba los cabellos y enfriaba los tuétanos en los huesos. ¿Quién podía vencer la cobardía ante aquel lloro prolongado y lastimero que cruzaba, noche a noche, por toda la ciudad? ¡La Llorona!, clamaban los pasantes entre castañeteos de dientes, y apenas si podían murmurar una breve oración, con mano temblorosa se santiguaban, oprimían los rosarios, cruces, medallas y escapularios que les colgaban del cuello.

México estaba aterrorizado por aquellos angustiosos gemidos. Cuando se empezaron a oír, salieron muchos a cerciorarse de quién era el ser que lloraba de ese modo tan plañidero y doloroso. Varias personas afirmaron, desde luego, que era cosa ultraterrena, porque un llanto humano, a distancia de dos o tres calles se quedaba ahogado, ya no se oía; pero éste traspasaba con su fuerza una gran extensión y llegaba claro, distinto, a todos los oídos con su amarga quejumbre. Salieron no pocos a investigar, y unos murieron de susto, otros quedaron locos de remate y poquísimos hubo que pudieron narrar lo que habían contemplado, entre escalofríos y sobresaltos. Se vieron llenos de terror pechos muy animosos.

Una mujer, envuelta en un flotante vestido blanco y con el rostro cubierto con velo levísimo que revolaba en torno suyo al fino soplo del viento, cruzaba con lentitud parsimoniosa por varias calles y plazas de la ciudad, unas noches por unas, y otras, por distintas; alzaba los brazos con desesperada angustia, los retorcía en el aire y lanzaba aquel trémulo grito que metía pavuras en todos los pechos. Ese tristísimo ¡Ay!, levantábase ondulante y clamoroso en el silencio de la noche, y luego que se desvanecía con su cohorte de ecos lejanos, se volvían a alzar los gemidos en la quietud nocturna, y eran tales que desalentaban cualquier osadía.

Así, por una calle y luego por otra, rodeaba las plazas y plazuelas, explayando el raudal de sus gemidos; y al final, iba a rematar con el grito más doliente, más cargado de aflicción, en la Plaza Mayor, toda en quietud y en sombras. Allí se arrodillaba esa mujer misteriosa, vuelta hacia el Oriente; inclinábase como besando el suelo y lloraba con grandes ansias, poniendo su ignorado dolor en un alarido largo y penetrante; después se iba ya en silencio, despaciosamente, hasta que llegaba al lago, y en sus orillas se perdía; deshacíase en el aire como una vaga niebla, o se sumergía en las aguas; nadie lo llegó a saber; el caso es que allí desaparecía ante los ojos atónitos de quienes habían tenido la valerosa audacia de seguirla, siempre a distancia, eso sí, pues un profundo terror vedaba acercarse a aquella mujer extraña que hacía grandes llantos y se deshacía de pena.

Esto pasaba noche con noche en México a mediados del siglo XVI, cuando la Llorona, como dio en llamársele, henchía el aire de clamores sin fin. Las conjeturas y las afirmaciones iban y venían por la ciudad. Unos creían una cosa, y otros, otra muy distinta, pero cada quien aseguraba que lo que decía era la verdad pura, y que, por lo tanto, deberíasele dar entera fe. Con certidumbre y firmeza aseguraban muchos que esa mujer había muerto lejos del esposo a quien amaba con fuerte amor, y que venía a verle, llorando sin linaje de alivio, porque ya estaba casado, y que de ella borró todo recuerdo; varios afirmaban que no pudo lograr desposarse nunca con el buen caballero a quien quería, pues la muerte no la dejó darle su mano, y que sólo a mirarlo tornaba a este bajo mundo, llorando desesperada porque él andaba perdido entre vicios; muchos referían que era una desdichada viuda que se lamentaba así porque sus huérfanos estaban sumidos en lo más negro de la desgracia, sin lograr ayuda de nadie; no pocos eran los que sostenían que era una pobre madre a quien le asesinaron todos los hijos, y que salía de la tumba a hacerles el planto; gran número de gentes estaban en la firme creencia de que había sido una esposa infiel y que, como no hallaba quietud ni paz en la otra vida, volvía a la tierra a llorar de arrepentimiento, perdidas las esperanzas de alcanzar perdón; o bien numerosas personas contaban que un marido celoso le acabó con un puñal la existencia tranquila que llevaba, empujado sólo por sospechas injustas; y no faltaba quien estuviese persuadido de que la tal Llorona no era otra sino la célebre doña Marina, la hermosa Malinche, manceba de Hernán Cortés, que venía a este suelo con permisión divina a henchir el aire de clamores, en señal de un gran arrepentimiento por haber traicionado a los de su raza, poniéndose al lado de los soldados hispanos que tan brutalmente la sometieron.

No sólo por la Ciudad de México andaba esta mujer extraña, sino que se la veía en varias poblaciones del reino. Atravesaba, blanca y doliente, por los campos solitarios; ante su presencia se espantaba el ganado, corría a la desbandada como si lo persiguiesen; a lo largo de los caminos llenos de luna, pasaba su grito; escuchábase su quejumbre lastimera entre el vasto rumor de mar de los árboles de los bosques; se la miraba cruzar, llena de desesperación, por la aridez de los cerros; la habían visto echada al pie de las cruces que se alzaban en montañas y senderos; caminaba por veredas desviadas, y sentábase en una peña a sollozar; salía, misteriosa, de las grutas, de las cuevas en que vivían las feroces animalias del monte; caminaba lenta por las orillas de los ríos, sumando sus gemidos con el rumor sin fin del agua.

Esta conseja es antiquísima en México; existía ya cuando los conquistadores entraron en la gran Tenochtitlan de Moctezuma, pues fray Bernardino de Sahagún al hablar de la diosa Cihuacoatl, en el capítulo IV del libro I de su *Historia general de las cosas de Nueva España*, escribe "que aparecía muchas veces como una señora compuesta con unos atavíos como se usan en Palacio; decían también que de noche voceaba y bramaba en el aire... Los atavíos con que esta mujer aparecía eran blancos, y los cabellos los tocaba de tal manera que tenía como unos cornezuelos cruzados sobre la frente", y en el libro XI pone, además, al enumerar los agüeros con los que se anunció en México la llegada de los españoles y la destrucción de la ciudad azteca, que el sexto pronóstico fue "que de noche se oyeran voces muchas veces como de una mujer que angustiada y con lloro decía: '¡Oh, hijos míos, que ya ha llegado vuestra destrucción!' Y otras veces decía: '¡Oh, hijos míos, ¿dónde os llevaré para que no os acabéis de perder?!'"

Hasta los primeros años del siglo XVII anduvo la Llorona por las calles y campos de México; después desapareció para siempre y no se volvió a oír su gemido largo y angustioso en la quietud de las noches.

LANCHITAS
José María Roa Bárcena

José María Roa Bárcena (1827-1908) es uno de los enemigos unánimes del liberalismo: su militancia en el partido conservador lo condujo a ver en el imperio de Maximiliano una posibilidad de verdadero cambio para México. Sin embargo, su pluma fue una de las más versátiles y prolíficas de su tiempo. Miembro fundador de la Academia Mexicana de la Lengua, escribió cuentos en doble sentido originales, tradujo a Dickens, Horacio, Byron y Hoffman, publicó *La Quinta Modelo*, novela de anticipación política en que satiriza las costumbres liberales. "Lanchitas" es un cuento de fantasmas fiel al consejo de Montague Rhode James en el sentido de permitir que un leve rayo de la razón lógica penetre en lo inexplicable, y se sitúa en barrios y calles localizables de la Ciudad de México: Santa Catalina Mártir (Argentina), Apartado (Argentina) y el callejón del Padre Lecuona (República de Nicaragua), donde tiene lugar la parte culminante del relato.

El título puesto a la presente narración no es el diminuto de lanchas, como a primera vista ha podido figurarse el lector, sino –por más que de pronto se resista a creerlo– el diminutivo del apellido Lanzas, que a principios de este siglo llevaba en México un sacerdote muy conocido en casi todos los círculos de nuestra sociedad. Nombrábasele con tal derivado, no sabemos si simplemente en señal de cariño y confianza, o si también en parte por lo pequeño de su estatura; mas sea que militaran entrambas causas juntas o aislada alguna de ellas, casi seguro es que las dominaba la sencillez pueril del personaje, a quien, por su carácter, se aplicaba generalmente la frase vulgar de "no ha perdido la gracia del bautismo". Y, como por algún defecto de la organización de su lengua, daba a la *t* y a la *c*, en ciertos casos, el sonido de la *ch*, convinieron sus amigos y conocidos en llamarle Lanchitas, a ciencia y paciencia suya; exponiéndose de allí a poco los que quisieran designarle por su verdadero nombre, a malgastar tiempo y saliva.

¿Quién no ha oído alguno de tantos cuentos, más o menos salados, en que Lanchitas funge de protagonista, y que la tradición oral va transmitiendo a la nueva generación? Algunos me hicieron reír más de veinte años ha, cuando acaso aún vivía el personaje, sin que las preocupaciones y agitaciones de mi malhadada carrera de periodista me dejaran tiempo ni humor de procurar su conocimiento. Hoy que, por dicha, no tengo que ilustrar o rectificar o lisonjear la opinión pública, y que por desdicha voy envejeciéndome a grandes pasos, qué de veces al seguir en el humo de mi cigarro, en el silencio de mi alcoba, el curso de las ideas y de los sucesos que me visitaron en la juventud, se me ha presentado, en la especie de linterna mágica de la imaginación, Lanchitas, tal como me lo describieron sus coetáneos: limpio, manso y sencillo de corazón, envuelto en sus hábitos clericales, avanzando por esas calles de Dios con la cabeza siempre descubierta y los ojos en el suelo; no dejando asomar en sus pláticas y exhortaciones la erudición de Fénelon, ni la elocuencia de Bossuet pero pronto a todas horas del día y de la noche a socorrer una necesidad, a prodigar los auxilios de su ministerio a los moribundos, y a enjugar las lágrimas de la viuda y el huérfano; y en materia de humildad, sin término de comparación, pues no le hay, ciertamente, para la humildad de Lanchitas.

Y, sin embargo, me dicen que no siempre fue así; que si no recibió del cielo un talento de primer orden, ni una voluntad firme y altiva, era hombre medianamente resuelto y despejado, y por demás estudioso e investigador. En una época en que la fe y el culto católico no se hallaban a discusión en estas comarcas, y en que el ejercicio del sacerdocio era relativamente fácil y tranquilo, bastaban la pureza de costumbres, la observancia de la disciplina eclesiástica, el ordinario conocimiento de las ciencias sagradas y morales, y un juicio recto para captarse el aprecio del clero y el respeto y la estimación de la sociedad. Pero Lanzas, ávido de saber, no se había dado por satisfecho con la instrucción seminarista; en los ratos que el desempeño de sus obligaciones de capellán le dejaba libres, profundizaba las investigaciones teológicas, y, con autorización de sus prelados, seguía curiosamente las controversias entabladas en Europa entre adversarios y defensores del catolicismo, no siéndole extrañas ni las burlas de Voltaire, ni las aberraciones de Rousseau, ni las abstracciones de Spinoza, ni las refutaciones victoriosas que provocaron en su tiempo. Quizá hasta se haya dedicado al estudio de las ciencias naturales, después de ejercitarse en el de las lenguas antiguas y modernas; todo en el límite que la escasez de maestros y de libros permitía aquí a principios del siglo. Y este hombre, superior en conocimientos a la mayor parte de clérigos de su tiempo, consultado a veces por obispos y oidores, y considerado, acaso, como un pozo de ciencia por el vulgo, cierra o quema repentinamente sus libros, responde a las consultas con la risa de la infancia o del idiotismo, no vuelve a cubrirse la cabeza ni a levantar del suelo sus ojos, y se convierte en personaje de broma para los desocupados. Por rara y peregrina que haya sido la transformación, fue real y efectiva; y he aquí cómo, del respetable Lanzas, resultó Lanchitas, el pobre clérigo que se aparece entre las nubes de humo de mi cigarro.

No ha muchos meses, pedía yo noticias de él a una persona ilustrada y formal que le trató con cierta intimidad y, como acababa de figurar en nuestra conversación el tema del espiritismo, hoy en boga, mi interlocutor me tomó del brazo y, sacándome de la reunión de amigos en que estábamos, me refirió una anécdota más rara todavía que la transformación de Lanchitas, y que acaso la explique. Para dejar consignada tal anécdota, trazo estas líneas, sin meterme a calificar. Al cabo, si es absurda, vivimos bajo el pleno reinado de lo absurdo.

No recuerdo el día, el mes, ni el año del suceso, ni si mi interlocutor los señaló, sólo entiendo que se refería a la época de 1820 a 1830; y en lo que no me cabe duda es en que se trataba del principio de una noche oscura, fría y lluviosa, como suelen serlo las de invierno. El padre Lanzas tenía ajustada una partida de malilla o tresillo con algunos amigos suyos, por el rumbo de Santa Catalina Mártir, y, terminados sus quehaceres del día, iba del centro de la ciudad a reunírseles esa noche, cuando, a corta distancia de la casa en que tenía lugar la modesta tertulia, alcanzóle una mujer del pueblo, ya entrada en años y miserablemente vestida, quien, besándole la mano, le dijo:

—¡Padrecito! ¡Una confesión! Por amor de Dios, véngase conmigo Su Merced, pues el caso no admite espera.

Trató de informarse el padre de si se había o no acudido previamente a la parroquia respectiva en solicitud de los auxilios espirituales que se le pedían, pero la mujer, con frase breve y enérgica, le contestó que el interesado pretendía que él precisamente le confesara y, que si se malograba el momento, pesaría sobre la conciencia del sacerdote; a lo cual éste no dio más respuesta que echar a andar detrás de la vieja.

Recorrieron en toda su longitud una calle de poniente a oriente, mal alumbrada y fangosa, yendo a salir cerca del Apartado y de allí tomaron hacia el norte, hasta torcer a mano derecha y detenerse en una miserable accesoria del callejón del Padre Lecuona. La puerta del cuartucho estaba nada más entornada, y empujándola simplemente, la mujer penetró en la habitación llevando al padre Lanzas de una de las extremidades del manteo. En el rincón más amplio y sobre una estera sucia y medio desbaratada, estaba el paciente, cubierto con una frazada; a corta distancia, una vela de sebo puesta sobre un jarro boca abajo en el suelo, daba su escasa luz a toda la pieza, enteramente desamueblada y con las paredes llenas de telarañas. Por terrible que sea el cuadro más acabado de la indigencia, no daría idea del desmantelamiento, desaseo y lobreguez de tal habitación en que la voz humana parecía apagarse antes de sonar, y cuyo piso de tierra exhalaba el hedor especial de los sitios que carecen de la menor ventilación.

Cuando el padre, tomando la vela, se acercó al paciente y levantó con suavidad la frazada que le ocultaba por completo, descubrióse una cabeza huesosa y enjuta, amarrada con un pañuelo amarillento y a trechos roto. Los ojos del hombre estaban cerrados y notablemente hundidos, y la piel de su rostro y de sus manos, cruzadas sobre el pecho, aparentaba la sequedad y rigidez de la de las momias.

—¡Pero este hombre está muerto! —exclamó el padre Lanzas dirigiéndose a la vieja.

—Se va a confesar, padrecito —respondió la mujer, quitándole la vela, que fue a poner en el rincón más distante de la pieza, quedando casi a oscuras el resto de ella; al mismo tiempo el hombre, como si quisiera demostrar la verdad de las palabras de la mujer, se incorporó en su petate, y comenzó a recitar con voz cavernosa, pero suficientemente inteligible, el *Confiteor Deo.*

Tengo que abrir aquí un paréntesis a mi narración, pues el digno sacerdote jamás a alma nacida refirió la extraña y probablemente horrible confesión que aquella noche le hicieron. De algunas alusiones y medias palabras suyas se infiere que, al comenzar su relato, el penitente se refería a fechas tan remotas que el padre, creyéndole difuso o divagado y comprendiendo que no había tiempo que perder, le excitó a concretarse a lo que importaba; que a poco entendió que aquél se daba por muerto de muchos años atrás, en circunstancias violentas que no le habían permitido descargar su conciencia como había acostumbrado pedirlo diariamente a Dios, aun en el olvido casi total de su deberes y en el seno de los vicios, y quizá hasta del crimen; que por permisión divina lo hacía en aquel momento, viniendo de la eternidad para volver a ella inmediatamente. Acostumbrado Lanzas, en el largo ejercicio de su ministerio, a los delirios y extravagancias de los febricitantes y de los locos, no hizo mayor aprecio de tales declaraciones, juzgándolas efecto del extravío anormal o inveterado de la razón del enfermo, contentándose con exhortarle al arrepentimiento, y explicarle lo grave del trance a que estaba orillado, y con absolverle bajo las condiciones necesarias, supuesta la perturbación mental de que le consideraba dominado. Al pronunciar las últimas palabras del rezo, notó que el hombre había vuelto a acostarse, que la vieja no estaba ya en el cuarto, y que la vela, a punto de consumirse por completo, despedía sus últimas luces. Llegando él a la puerta, que permanecía entornada, quedó la pieza en profunda oscuridad y, aunque al salir atrajo con suavidad la hoja entreabierta, cerróse ésta de firme, como si de adentro la hubieran empujado. El padre, que contaba con hallar a la mujer en la parte de afuera, y con recomendarle el cuidado del moribundo y que volviera a llamarle a él mismo, aun a deshora, si advertía que recobraba aquél la razón, desconcertóse al no verla; esperóla en vano durante algunos minutos, quiso volver a entrar en la accesoria, sin conseguirlo, por haber quedado cerrada, como de firme, la puerta; y apretando en la calle la oscuridad y la lluvia, decidióse al fin a alejarse, proponiéndose efectuar al siguiente día, muy temprano, nueva visita.

Sus compañeros de malilla o tresillo le recibieron amistosa y cordialmente, aunque no sin reprocharle su tardanza. La hora de la cita había, en efecto, pasado ya con mucho, y Lanzas, sabiéndolo o sospechándolo, había venido aprisa y estaba sudando. Echó mano al bolsillo en busca del pañuelo para limpiarse la frente, y no lo halló. No se trataba de un pañuelo cualquiera, sino de la obra acabadísima de alguna de sus hijas espirituales más consideradas de él; finísima batista con las iniciales del padre, primorosamente bordadas en blanco, entre laureles y trinitarias de gusto más o menos monjil. Prevalido de su confianza en la casa, llamó al criado, le dio las señas de la accesoria en que seguramente había dejado el pañuelo y le despachó en su busca, satisfecho de que se le presentara, así, ocasión de tener nuevas noticias del enfermo y de aplacar la inquietud en que él mismo había quedado a su respecto. Y con la fruición que produce en una noche fría y lluviosa llegar de la calle a un pieza abrigada y bien alumbrada, y hallarse en amistosa compañía cerca de un mesa espaciosa, a punto de comenzar el juego que por espacio de más de veinte años nos ha entretenido una o dos horas cada noche, repantigóse nuestro Lanzas en uno de esos sillones de vaqueta que se hallaban frecuentemente en las celdas de monjes, y que yo prefiero al más pulido asiento de brocatel o terciopelo, y encendiendo un buen cigarro habano, y arrojando bocanadas de humo aromático, al colocar sus cartas en la mano izquierda en forma de abanico y como si no hiciera más que continuar en voz alta el hilo de sus reflexiones relativas al penitente a quien acababa de oír, dijo a sus compañeros de tresillo:

—¿Han leído ustedes la comedia de don Pedro Calderón de la Barca, intitulada *La devoción de la cruz?*

Alguno de los comensales la conocía, y recordó al vuelo las principales peripecias del galán noble y valiente, al par que corrompido, especie de Tenorio de su época, que, muerto a hierro, obtiene por defecto de su constante devoción a la sagrada insignia del cristiano el raro privilegio de confesarse momentos u horas después de haber cesado de vivir. Recordado lo cual, Lanzas prosiguió diciendo, en tono entre grave y festivo:

—No se puede negar que el pensamiento del drama de Calderón es altamente religioso, no obstante que algunas de sus escenas causarían positivo escándalo hasta en los tristes días que alcanzamos. Mas, para que se vea que las obras de imaginación suelen causar daño efectivo aun con lo poco de bueno que contengan, les diré que acabo de confesar a un infeliz que no pasó de artesano en sus buenos tiempos, que apenas sabía leer y que, indudablemente, había leído o visto *La devoción de la cruz*, puesto que en las divagaciones de su razón creía reproducido en sí mismo el milagro del drama...

—¿Cómo, cómo? —exclamaron los comensales de Lanzas, mostrando repentino interés.

—Como ustedes lo oyen, amigos míos. Uno de los mayores obstáculos con que, en los tiempos de ilustración que corren, se tropieza en el confesionario es el deplorable efecto de las lecturas, aun de aquellas que a primera vista no es posible calificar de nocivas. No pocas veces me he encontrado, bajo la piel de beatas compungidas y feas, con animosas Casandras y tiernas y remilgadas Atalas; algunos delincuentes honrados, a la manera del de Jovellanos, han recibido de mi mano la absolución; y en carácter de muchos hombres sesudos, he advertido fuertes conatos de imitación de las fechorías del *Periquillo*, de Lizardi. Pero ninguno tan preocupado ni porfiado como mi ultimo penitente; loco, loco de remate. ¡Lástima de alma, que a vueltas de un verdadero arrepentimiento, se está en sus trece de que hace quién sabe cuántos años dejó el mundo, y que por altos juicios de Dios... ¡Vamos! ¡Lo del protagonista del drama consabido! Juego...

En estos momentos se presentó el criado de la casa diciendo al padre que en vano había llamado durante media hora en la puerta de la accesoria; habiéndose acercado, al fin, el sereno a avisarle caritativamente que la tal pieza y las contiguas llevaban mucho tiempo de estar vacías, lo cual le constaba perfectamente, por razón de su oficio y de vivir en la misma calle.

Con extrañeza oyó esto el padre; y los comensales que, según he dicho, habían ya tomado interés en su aventura, dirigiéronle nuevas preguntas, mirándose unos a otros. Daba

la casualidad de hallarse entre ellos nada menos que el dueño de las accesorias, quien declaró que, efectivamente, así
éstas como la casa toda a que pertenecían, llevaban cuatro
años de vacías y cerradas, a consecuencia de estar pendiente
en los tribunales un pleito en que se le disputaba la propiedad de la finca, y no haber querido él, entre tanto, hacer
las reparaciones indispensables para arrendarla. Indudablemente, Lanzas se había equivocado respecto a la localidad
por él visitada, y cuyas señas, sin embargo, correspondían
con toda exactitud a la finca cerrada y en pleito; a menos
que, a excusas del propietario, se hubiera cometido el abuso
de abrir y ocupar accesorias, defraudándole su renta. Intere-
sados igualmente, aunque por motivos diversos, el dueño de
la casa y el padre en salir de dudas, convinieron esa noche
en reunirse al otro día, temprano, para ir juntos a reconocer
la accesoria.

Aún no eran las ocho de la mañana siguiente, cuando llegaron a su puerta, no sólo bien cerrada, sino mostrando
entre las hojas y el marco, en el ojo de la llave, las telarañas
y polvo que daban la seguridad material de no haber sido
abierta en algunos años. El propietario llamó sobre esto la
atención del padre, quien retrocedió hasta el principio del
callejón, volviendo a recorrer cuidadosamente, y guián-
dose por sus recuerdos de la noche anterior, la distancia
que mediaba desde la esquina hasta el cuartucho, a cuya
puerta se detuvo nuevamente, asegurando con toda for-
malidad ser la misma por donde había entrado a confesar
al enfermo, a menos que, como éste, no hubiera perdido el
juicio. A creerlo así se iba inclinando el propietario, al ver
la inquietud y hasta la angustia con que Lanzas examina-

ba la puerta y la calle, ratificándose en sus afirmaciones y suplicándole hiciese abrir la accesoria a fin de registrarla por dentro.

Llevaron allí un manojo de llaves viejas, tomadas de orín, y probando algunas, después de haber sido necesario desembarazar de tierra y telarañas, por medio de clavo o estaca, el agujero de la cerradura, se abrió al fin la puerta, saliendo por ella el aire malsano y apestoso a humedad que Lanzas había aspirado allí la noche anterior. Penetraron en el cuarto nuestro clérigo y el dueño de la finca, y a pesar de su oscuridad, pudieron notar desde luego que estaba enteramente deshabitado y sin mueble ni rastro alguno de inquilinos. Disponíase el dueño a salir, invitando a Lanzas a seguirle o procederle, cuando éste, renuente a convencerse de que había simplemente soñado lo de la confesión, se dirigió al ángulo del cuarto en que recordaba haber estado el enfermo, y halló en el suelo y cerca del rincón su pañuelo, que la escasísima luz de la pieza no le había dejado ver antes. Recogióle con profunda ansiedad y corrió hacia la puerta para examinarle a toda la claridad del día. Era el suyo, y las marcas bordadas no le dejaban duda alguna. Inundados en sudor su semblante y sus manos, clavó en el propietario de la finca los ojos, que el terror parecía hacer salir de sus órbitas; se guardó el pañuelo en el bolsillo, descubrióse la cabeza, y salió a la calle con el sombrero en la mano, delante del propietario, quien, después de haber cerrado la puerta y entregado a su dependiente el manojo de llaves, echó a andar al lado del padre, preguntándole con cierta impaciencia:

—Pero, ¿y cómo se explica usted lo acaecido?

Lanzas le vio con señales de extrañeza, como si no hubiera comprendido la pregunta y siguió caminando con la cabeza descubierta a sombra y a sol, y no se la volvió a cubrir desde aquel punto. Cuando alguien le interrogaba sobre semejante rareza, contestaba con risa como de idiota, y llevándose la diestra al bolsillo, para cerciorarse de que tenía consigo el pañuelo. Con infatigable constancia siguió desempeñando las tareas más modestas del ministerio sacerdotal, dando señalada preferencia a las que más en contacto le ponían con los pobres y los niños, a quienes mucho se asemejaba en sus conversaciones y en sus gustos. ¿Tenía, acaso, presente el pasaje de la Sagrada Escritura relativo a los párvulos? Jamás se le vio volver a dar el menor indicio de enojo o impaciencia, y si en las calles era casual o intencionalmente atropellado o vejado, continuaba su camino con la vista en el suelo y moviendo sus labios como si orara. Así le suelo contemplar todavía en el silencio de mi alcoba, entre las nubes de humo de mi cigarro, y me pregunto si a los ojos de Dios no era Lanchitas más sabio que Lanzas, y si los que nos reímos con la narración de sus excentricidades y simplezas, no estamos, en realidad, más trascordados que el pobre clérigo.

Diré, por vía de apéndice, que poco después de su muerte, al reconstruir alguna de las casas del callejón del Padre Lecuona, extrajeron del muro más grueso de una pieza, que ignoro si sería la consabida accesoria, el esqueleto de un hombre que parecía haber sido emparedado mucho tiempo antes, y a cuyo esqueleto se dio sepultura con las debidas formalidades.

LA CENA
Alfonso Reyes

Alfonso Reyes (1889-1959). El carácter caudaloso, polígrafo y por lo mismo a veces temible de su escritura provoca que en el regiomontano universal el bosque no permita ver los árboles. "La cena" es uno de sus textos más antologados, tanto por su misteriosa elegancia como por la recreación de la atmósfera de la ciudad nocturna, el final ambiguo que propicia toda clase de interpretaciones. La enigmática pareja femenina prefigura la *Dama de corazones* de Xavier Villaurrutia y, más señaladamente, la *Aura* de Carlos Fuentes. El texto fue escrito en 1912, un año antes de la trágica muerte de Bernardo Reyes, y se incorporó al libro *El plano oblicuo. Cuentos y diálogos*, publicado en 1920.

Tuve que correr a través de calles desconocidas. El término de mi marcha parecía correr delante de mis pasos, y la hora de la cita palpitaba ya en los relojes públicos. Las calles estaban solas. Serpientes de focos eléctricos bailaban delante de mis ojos. A cada instante surgían glorietas circulares, sembrados arriates, cuya verdura, a la luz artificial de la noche, cobraba una elegancia irreal. Creo haber visto multitud de torres —no sé si en las casas, si en las glorietas— que ostentaban a los cuatro vientos, por una iluminación interior, cuatro redondas esferas de reloj.

Yo corría, azuzado por un sentimiento supersticioso de la hora. Si las nueve campanadas, me dije, me sorprenden sin tener la mano sobre la aldaba de la puerta, algo funesto acontecerá. Y corría frenéticamente, mientras recordaba haber corrido a igual hora por aquel sitio y con un anhelo semejante. ¿Cuándo?

Al fin los deleites de aquella falsa recordación me absorbieron de manera que volví a mi paso normal sin darme cuenta. De cuando en cuando, desde las intermitencias de mi meditación, veía que me hallaba en otro sitio, y que se desarrollaban ante mí nuevas perspectivas de focos, de placetas sembradas, de relojes iluminados… No sé cuánto tiempo transcurrió, en tanto que yo dormía en el mareo de mi respiración agitada.

De pronto, nueve campanadas sonoras resbalaron con metálico frío sobre mi epidermis. Mis ojos, en la última esperanza, cayeron sobre la puerta más cercana: aquél era el término.

Entonces, para disponer mi ánimo, retrocedí hacia los motivos de mi presencia en aquel lugar. Por la mañana, el correo me había llevado una esquela breve y sugestiva. En el ángulo del papel se leían, manuscritas, las señas de una casa. La fecha era del día anterior. La carta decía solamente: "Doña Magdalena y su hija Amalia esperan a usted a cenar mañana, a las nueve de la noche. ¡Ah, si no faltara!…"

Ni una letra más.

Yo siempre consiento en las experiencias de lo imprevisto. El caso, además, ofrecía singular atractivo: el tono, familiar y respetuoso a la vez, con que el anónimo designaba a aquellas señoras desconocidas; la ponderación: "¡Ah, si no faltara!…", tan vaga y tan sentimental, que parecía suspendida sobre un abismo de confesiones, todo contribuyó a decidirme. Y acudí, con el ansia de una emoción informulable. Cuando, a veces, en mis pesadillas, evoco aquella noche fantástica (cuya fantasía está hecha de cosas cotidianas y cuyo equívoco misterio crece sobre la humilde raíz de lo posible), paréceme jadear a través de avenidas de relojes y torreones, solemnes como esfinges en la calzada de algún templo egipcio.

La puerta se abrió. Yo estaba vuelto a la calle y vi, de súbito, caer sobre el suelo un cuadro de luz que arrojaba, junto a mi sombra, la sombra de una mujer desconocida.

Volvíme: con la luz por la espalda y sobre mis ojos deslumbrados, aquella mujer no era para mí más que una silueta, donde mi imaginación pudo pintar varios ensayos de fisonomía, sin que ninguno correspondiera al contorno, en tanto que balbuceaba yo algunos saludos y explicaciones.

—Pase usted, Alfonso.

Y pasé, asombrado de oírme llamar como en mi casa. Fue una decepción el vestíbulo. Sobre las palabras románticas de la esquela (a mí, al menos, me parecían románticas), había yo fundado la esperanza de encontrarme con una antigua casa, llena de tapices, de viejos retratos y de grandes sillones; una antigua casa sin estilo, pero llena de respetabilidad. A cambio de esto, me encontré con un vestíbulo diminuto y con una escalerilla frágil, sin elegancia; lo cual más bien prometía dimensiones modernas y estrechas en el resto de la casa. El piso era de madera encerada; los raros muebles tenían aquel lujo frío de las cosas de Nueva York, y en el muro, tapizado de verde claro, gesticulaban, como imperdonable signo de trivialidad, dos o tres máscaras japonesas. Hasta llegué a dudar… Pero alcé la vista y quedé tranquilo: ante mí, vestida de negro, esbelta, digna, la mujer que acudió a introducirme me señalaba la puerta del salón. Su silueta se había coloreado ya de facciones; su cara me habría resultado insignificante, a no ser por una expresión marcada de piedad; sus cabellos castaños, algo flojos en el peinado, acabaron de precipitar una extraña convicción en mi mente: todo aquel ser me pareció plegarse y formarse a las sugestiones de un nombre.

–¿Amalia? –pregunté.

–Sí. Y me pareció que yo mismo me contestaba.

El salón, como lo había imaginado, era pequeño. Mas el decorado, respondiendo a mis anhelos, chocaba notoriamente con el del vestíbulo. Allí estaban los tapices y las grandes sillas respetables, la piel de oso al suelo, el espejo, la chimenea, los jarrones; el piano de candeleros lleno de fotografías y estatuillas –el piano en que nadie toca–, y, junto al estrado principal, el caballete con un retrato amplificado y manifiestamente alterado: el de un señor de barba partida y boca grosera.

Doña Magdalena, que ya me esperaba instalada en un sillón rojo, vestía también de negro y llevaba al pecho una de aquellas joyas gruesísimas de nuestros padres: una bola de vidrio con un retrato interior, ceñida por un anillo de oro. El misterio del parecido familiar se apoderó de mí. Mis ojos iban, inconscientemente, de doña Magdalena a Amalia, y del retrato a Amalia. Doña Magdalena, que lo notó, ayudó mis investigaciones con alguna exégesis oportuna.

Lo más adecuado hubiera sido sentirme incómodo, manifestarme sorprendido, provocar una explicación. Pero doña Magdalena y su hija Amalia me hipnotizaron, desde los primeros instantes, con sus miradas paralelas. Doña Magdalena era una mujer de sesenta años; así es que consintió en dejar a su hija los cuidados de la iniciación. Amalia charlaba; doña Magdalena me miraba; yo estaba entregado a mi ventura.

A la madre tocó –es de rigor– recordarnos que era ya tiempo de cenar. En el comedor la charla se hizo más general y corriente. Yo acabé por convencerme de que aquellas señoras no habían querido más que convidarme a cenar, y a la segunda copa de Chablis me sentí sumido en un perfecto egoísmo del cuerpo lleno de generosidades espirituales. Charlé, reí y desarrollé todo mi ingenio, tratando interiormente de disimularme la irregularidad de mi situación. Hasta aquel instante las señoras habían procurado parecerme simpáticas; desde entonces sentí que había comenzado yo mismo a serles agradable.

El aire piadoso de la cara de Amalia se propagaba, por momentos, a la cara de la madre. La satisfacción, enteramente fisiológica, del rostro de doña Magdalena descendía, a veces, al de su hija. Parecía que estos dos motivos flotasen en el ambiente, volando de una cara a la otra.

Nunca sospeché los agrados de aquella conversación. Aunque ella sugería, vagamente, no sé qué evocaciones de Sudermann, con frecuentes rondas al difícil campo de las responsabilidades domésticas y —como era natural en mujeres de espíritu fuerte— súbitos relámpagos ibsenianos, yo me sentía tan a mi gusto como en casa de alguna tía viuda y junto a alguna prima, amiga de la infancia, que ha comenzado a ser solterona.

Al principio, la conversación giró toda sobre cuestiones comerciales, económicas, en que las dos mujeres parecían complacerse. No hay asunto mejor que éste cuando se nos invita a la mesa en alguna casa donde no somos de confianza.

Después, las cosas siguieron de otro modo. Todas las frases comenzaron a volar como en redor de alguna lejana petición. Todas tendían a un término que yo mismo no sospechaba. En el rostro de Amalia apareció, al fin, una sonrisa aguda, inquietante. Comenzó visiblemente a combatir contra alguna interna tentación. Su boca palpitaba, a veces, con el ansia de las palabras, y acababa siempre por suspirar. Sus ojos se dilataban de pronto, fijándose con tal expresión de espanto o abandono en la pared que quedaba a mis espaldas, que más de una vez, asombrado, volví el rostro yo mismo. Pero Amalia no parecía consciente del daño que me ocasionaba. Continuaba con sus sonrisas, sus asombros y sus suspiros, en tanto que yo me estremecía cada vez que sus ojos miraban por sobre mi cabeza.

Al fin, se entabló, entre Amalia y doña Magdalena, un verdadero coloquio de suspiros. Yo estaba ya desazonado. Hacia el centro de la mesa y, por cierto, tan baja que era una constante incomodidad, colgaba la lámpara de dos luces. Y sobre los muros se proyectaban las sombras desteñidas de las dos mujeres, en tal forma que no era posible fijar la correspondencia de las sombras con las personas. Me invadió una intensa depresión, y un principio de aburrimiento se fue apoderando de mí. De lo que vino a sacarme esta invitación insospechada:

—Vamos al jardín.

Esta nueva perspectiva me hizo recobrar mis espíritus. Condujéronme a través de un cuarto cuyo aseo y sobriedad hacía pensar en los hospitales. En la oscuridad de la noche pude adivinar un jardincillo breve y artificial, como el de un camposanto.

Nos sentamos bajo el emparrado. Las señoras comenzaron a decirme los nombres de las flores que yo no veía, dándose el cruel deleite de interrogarme después sobre sus recientes enseñanzas. Mi imaginación, destemplada por una experiencia tan larga de excentricidades, no hallaba reposo. Apenas me dejaba escuchar y casi no me permitía contestar. Las señoras sonreían ya (yo lo adivinaba) con pleno conocimiento de mi estado. Comencé a confundir sus palabras con mi fantasía. Sus explicaciones botánicas, hoy que las recuerdo, me parecen monstruosas como un delirio: creo haberles oído hablar de flores que muerden y de flores que besan; de tallos que se arrancan a su raíz y os trepan, como serpientes, hasta el cuello.

La oscuridad, el cansancio, la cena, el Chablis, la conversación misteriosa sobre flores que yo no veía (y aún creo que no las había en aquel raquítico jardín), todo me fue convidando al sueño; y me quedé dormido sobre el banco, bajo el emparrado.

—¡Pobre capitán! —oí decir cuando abrí los ojos. Lleno de ilusiones marchó a Europa. Para él se apagó la luz.

En mi alrededor reinaba la misma oscuridad. Un vientecillo tibio hacía vibrar el emparrado. Doña Magdalena y Amalia conversaban junto a mí, resignadas a tolerar mi mutismo. Me pareció que habían trocado los asientos durante mi breve sueño; eso me pareció…

—Era capitán de artillería —me dijo Amalia—; joven y apuesto si los hay.

Su voz temblaba.

Y en aquel punto sucedió algo que en otras circunstancias me habría parecido natural, pero que entonces me sobresaltó y trajo a mis labios mi corazón. Las señoras, hasta entonces, sólo me habían sido perceptibles por el rumor de su charla y de su presencia. En aquel instante alguien abrió una ventana en la casa, y la luz vino a caer, inesperada, sobre los rostros de las mujeres. Y —¡oh cielos!— los vi iluminarse de pronto, autonómicos, suspensos en el aire —perdidas las ropas negras en la oscuridad del jardín— y con la expresión de piedad grabada hasta la dureza en los rasgos. Eran como las caras iluminadas en los cuadros de Echave el Viejo, astros enormes y fantásticos.

Salté sobre mis pies sin poder dominarme ya.

—Espere usted —gritó entonces doña Magdalena—; aún falta lo más terrible.

Y luego, dirigiéndose a Amalia:

—Hija mía, continúa; este caballero no puede dejarnos ahora y marcharse sin oírlo todo.

—Y bien —dijo Amalia—: el capitán se fue a Europa. Pasó de noche por París, por la mucha urgencia de llegar a Berlín. Pero todo su anhelo era conocer París. En Alemania tenía que hacer no sé qué estudios en cierta fábrica de cañones… Al día siguiente de llegado, perdió la vista en la explosión de una caldera.

Yo estaba loco. Quise preguntar; ¿qué preguntaría? Quise hablar; ¿qué diría? ¿Qué había sucedido junto a mí? ¿Para qué me habían convidado?

La ventana volvió a cerrarse, y los rostros de las mujeres volvieron a desaparecer. La voz de la hija resonó:

—¡Ay! Entonces, y sólo entonces, fue llevado a París. ¡A París, que había sido todo su anhelo! Figúrese usted que pasó bajo el Arco de la Estrella: pasó ciego bajo el Arco de la Estrella, adivinándolo todo a su alrededor… Pero usted le hablará de París, ¿verdad? Le hablará del París que él no pudo ver. ¡Le hará tanto bien!

("¡Ah, si no faltara!"… "¡Le hará tanto bien!")

Y entonces me arrastraron a la sala, llevándome por los brazos como a un inválido. A mis pies se habían enredado las guías vegetales del jardín; había hojas sobre mi cabeza.

–Helo aquí –me dijeron mostrándome un retrato. Era un militar. Llevaba un casco guerrero, una capa blanca, y los galones plateados en las mangas y en las presillas como tres toques de clarín. Sus hermosos ojos, bajo las alas perfectas de las cejas, tenían un imperio singular. Miré a las señoras: las dos sonreían como en el desahogo de la misión cumplida. Contemplé de nuevo el retrato; me vi yo mismo en el espejo; verifiqué la semejanza: yo era como una caricatura de aquel retrato. El retrato tenía una dedicatoria y una firma. La letra era la misma de la esquela anónima recibida por la mañana.

El retrato había caído de mis manos, y las dos señoras me miraban con una cómica piedad. Algo sonó en mis oídos como una araña de cristal que se estrellara contra el suelo.

Y corrí, a través de calles desconocidas. Bailaban los focos delante de mis ojos. Los relojes de los torreones me espiaban, congestionados de luz… ¡Oh, cielos! Cuando alcancé, jadeante, la tabla familiar de mi puerta, nueve sonoras campanadas estremecían la noche.

Sobre mi cabeza había hojas; en mi ojal, una florecilla modesta que yo no corté.

TEORÍA DEL CANDINGAS
Salvador Elizondo

Salvador Elizondo (1932-2006) escribió una de las obras más originales y perturbadoras de la literatura mexicana. Sostenidos en el poder del lenguaje y la invocación poética, sus cuentos y novelas dinamitaron las convenciones narrativas, y ahondaron en tabúes como el erotismo transgresor y la tortura. Obtuvo el premio Xavier Villaurrutia en 1965 por *Farabeuf,* y en 1990 el Premio Nacional de Letras por el conjunto de su obra. Durante buena parte de su vida llevó un diario íntimo, en el que también volcó su otra pasión: la pintura. "Teoría del Candingas" pertenece a *El retrato de Zoe y otras mentiras,* editado en 1967.

Las ciudades guardan en sus resquicios la posibilidad de toda suerte de mitos estrafalarios. Los callejones olorosos a orina conservan a veces algo de la presencia de antiguos personajes inquietantes que nunca han existido. Esa mitología astrosa se define en los nombres de sus héroes por boca de las sibilas secretas que profetizan en el oráculo de las azoteas o en la atmósfera olorosa a ropa mojada, en los cuartos de criados, después de la lluvia. Allí, en esos cubículos de japán, de *flit* y de humo de rajas de ocote para prender el boiler, nacen y mueren los pequeños mitos urbanos, extraídos, tal vez, de las páginas alucinantes del *Policía*. El coco es una abstracción mediterránea. El niño mexicano aspira a ogros más característicos dentro de su ambigüedad. Aspiramos a ser aterrorizados por demonios-evento cuya existencia discurre fuera de una de las dos grandes dimensiones del espíritu: el espacio y el tiempo. Nos complace esa condición de nuestros espantajos interiores que definitivamente no tienen un carácter escatológico (digo *eskathos* y no *skatos*) sino más bien patológico, criminalístico y esencialmente "funambulesco". El Leproso es el dios de la higiene y de la profilaxis. El Robachicos es el dios de los perímetros y el Candingas, duende tectónico de la época del general Cárdenas, era el dios intermitente de las azoteas crepusculares.

El Leproso ha sido desterrado por el progreso. En aquella época merodeaba por las calles del centro de la capital. Esto lo infiero del hecho de que cuando salíamos de Cinelandia (universo equívoco al que siempre penetrábamos en compañía de alguna persona mayor, pues en ese mundo reinaban dos divinidades maléficas: el Degenerado y el Trailaraila, que poco después también fue conocido como el Cuarenta y uno), se nos prevenía contra tocar el tubo del barandal del pasaje subterráneo de la calle 16 de Septiembre... porque hace un rato pasó el Leproso por allí y lo tocó. El Leproso era el que investía los objetos banales con un significado turbador. Yo lo imagino lampiño, con la piel negra como tinta, con el tacto dotado de vagas propiedades eléctricas, como si su roce irradiara una sensación agria y dolorosa como la de una descarga, pero sufrida en los niveles en que se experimenta, como sensación, la putrefacción de la carne, algo que hubiera recordado el contacto de la piel de los reptiles; lo imagino el habitante de ese hipogeo oloroso a fruta descompuesta, restañando sus llagas lentísimas entre los montones de pantaletas y tobilleras elásticas, socavando la estructura rectilínea de la luz con su mirada de león, mascando los bagazos de una naranja podrida.

Como el Leproso, el Robachicos era un demonio esencialmente destinado a los niños. Andaba en las calles a caza de muchachos que salían solos. Era un viejo campesino de barba hirsuta y cana. Llevaba un sombrero de palma de ala ancha, huaraches, pero no calzones de manta, sino ropa de mezclilla relavada. Llevaba al hombro un ayate con naranjas (quizá las mismas cuyos restos recoge el Leproso en los rincones del Tunel del Simplón). Esas naranjas le servían de señuelo y ya que se había robado a un niño las arrojaba al montón de basura. Se llevaba a los niños a su pueblo y los ponía a desgranar maíz y si se portaban mal los encerraba en los chiqueros en donde, a veces, los puercos se los comían. Otros decían que el Robachicos se disfrazaba de vendedor de globos y que con su pito de hojalata atraía a los niños, que lo seguían como al flautista de Hamelin.

El Candingas se conformaba a patrones ligeramente inusitados en la descripción de los dioses. Era quizá un demonio demasiado humano; por melancólico, claro. Y también por irónico. Su recuerdo persiste más que el del Leproso o el del Robachicos, pero no como el recuerdo de alguien, sino como la memoria de algo. El Candingas era *algo*, una indeterminada substancia faunesca que a veces rondaba las azoteas de entonces. Un habitante de ese universo de tepetate renegrido, oloroso a tractolina y al olor que tiene el té cuando empieza a pudrirse, que, mediante unas cuantas, tristes, pensativas, fatigadas, nostálgicas, esperanzadas, silenciosas, retrospectivas, furtivas, ensoñadas, lánguidas aspiraciones de un cigarrillo de mariguana liado a hurtadillas, pero con una técnica indiferente, ciega, consuetudinaria y perfecta, se manifestaba a los sentidos. A la hora del crepúsculo las criadas se sentaban en los rebordes salitrosos; es esa hora que precede al momento en que las luces eléctricas se encienden y en que se empieza a soplar en las brasas para reavivar el fuego. Cuando los pájaros revolotean en los follajes trinando neuróticamente; cuando los tranvías y las siempre inesperadas y turbadoras ululaciones de la locomotora del camotero son una invocación de algo así como la música de Malher, muy imperfectamente escuchada y ejecutada. Es el intervalo de tiempo que media entre subir a quitar la ropa del tendedero y bajar a *hacer* las camas, a echar *flit* y a tapar los canarios. En ese lapso se generan los pequeños mitos de la ciudad. Se quedaban viendo esos crepúsculos la mayor parte de las veces poco espectaculares, pero muy transparentes (como Ingres y no como Delacroix), de nuestra ciudad y entonces, de repente –decían–, se les aparecía el Candingas con su overol enrollado en torno a los tobillos canijos, enfundados en unos calcetines guangos y agujerados en el tendón de Aquiles, y con sus zapatos amarillos puntiagudos y chiquitos. Bien lustrados; eso sí. Supongo, unas veces, que el Candingas, en el mundo de los hechos y de las cosas demostrables, debe ser bolero de allá por las riberas de la Calzada de Tlalpan de Aquel Tiempo, a la altura de Portales, por los rumbos del Cine Bretaña, aunque otros dicen que lo han visto de cobrador, con su gorra y su bolsa de cuero para los centavos, en la línea de Circunvalación. El Candingas no más se ríe cuando se aparece de pronto entre las macetas despotrilladas de los helechos. Unos dientes blancos y parejos, pequeñitos, le salen de unas encías moradas y caídas. La sudadera deportiva que lleva debajo del overol invoca un sombrío campeonato de *béis*, intramuros de algún orfelinato o correccional inquietantes. El Candingas no más se ríe. Lleva las manos renegridas por el cobre de las monedas o por el betún para calzado, enfundadas en los bolsillos de su chamarra de cuero con los puños de lana deshilachados. Traía las manos muy calientes. Estaba retefrío el cemento. Yo creo que eso fue. Pórtese bien o mando llamar al Candingas que vive allá arriba. Y yo les preguntaba que cómo era el Candingas. "¡Pos cómo! ¡Pos como el candingas!" "Bueno, pero ¿cómo es?" "Pos así, etcétera." El Candingas era, por su inconcreción, un personaje fácilmente olvidable, como el candidato de la oposición de aquel entonces, de quien nadie supo jamás cómo era.

Otras veces, el Candingas se aparecía con una gorra de aviador, como la de Francisco Sarabia, de quien se decía que había muerto porque había echado azúcar en la gasolina. El águila que cae dulcemente. También decían que el Candingas rondaba los llanos de Aviación. Otros decían que vivía por los Baños. Es el caso que nadie se pone de acuerdo y sólo puede ser definido como el patrimonio secreto de algunas infancias solitarias dirimidas en compañía de viejas criadas mutantes, conocedoras de un trasmundo urbano de fotografías tomadas en las zacateras de los prados de la Alameda por algún fotógrafo ambulante, en una mañana de domingo polvoso. Asocio ahora su memoria con una época imprecisa, pero persistente en su pretericidad. Su disolución en el olvido ha sido semejante a una de esas descomposiciones de la materia que hubiera provocado el contacto con el barandal del túnel de 16 de Septiembre; pero en ese orden de procesos muchas veces lo más deleznable es lo más duradero. En un callejón de bardas de adobe empapado de súbita lluvia vespertina, un rectángulo de hojalata, enmohecido en sus esquinas, que brilla con reflejos amarillos. De pronto, no se sabe de dónde, el universo precario de esos barrios malditos se llena del aroma de un hueledenoche. Eso es lo que queda. ¿Ves ese niño cómo está cojo y ciego? Así lo hizo El Candingas porque no se quiso tomar la cucharada. El Candingas hubiera sido el habitante de un universo hecho de aceite de hígado de bacalao (de *bacalado*, como decían las criadas) o de Mentholatum. Emanaría de él una luz casi líquida, de vela de sebo, para empapar de sangre ágil los muros encalados y los techos de bóveda catalana. En el orden de los olores, el Candingas huele fundamentalmente a sudor y a cobre. A veces, cuando se lo roba a alguna criada reumática, su cabellera erizada y grasienta emana un efluvio de Linimento de Sloan. Lleva en el bolsillo de la pechera del overol un espejito redondo en el que a veces se mira los dientes y otras veces se echa unas risotadas que hasta se bambolea todo; como si estuviera bailando el danzón. Se ha llevado a algunas criadas. Se hace pasar por abonero. Para ello se pone un sombrero de palma con una cintilla negra y lleva un fajo de tarjetas liadas con una gruesa liga de hule de color rojo, como con las que las criadas se detienen las medias, en uno de los bolsillos traseros de su overol. Les dice a las criadas que vende vestidos y delantales, pero que si se van a pasear con él, se los regala. Y así las embauca, y luego a los cuantos meses le cuentan a las otras que se las llevó el Candingas, y que el Candingas es casado; que su mujer es una lavandera de la colonia de los Doctores. Pero en realidad prefiere la compañía de las viejas y gordas, las cocineras legendarias que se lo encuentran en las azoteas cuando por las tardes suben a tronársela antes de bajar a hacer la cena. Ellas lo tratan familiarmente porque no tienen nada que perder. El Candingas les cuenta que en su tierra hablan puro inglés. Juasamaramexicogüey. Y a veces se queda un buen rato con ellas.

Demonio esencial aunque totalmente inepto a su condición de habitante de las ruinosas techumbres de viejos burdeles decrépitos, poblador de ese sueño absurdo y remoto. Un sueño de palabras que se refieren a las cualidades de hechos inexplicablemente voluptuosos. Es el universo de las obscuras trastiendas olorosas a granos y a hierbas secas. Por allí ronda el Candingas con su gorra de aviador, al anochecer, cuando el ruido de los tranvías como que se oye más fuerte.

El Candingas no más se ríe con sus dientes blancos de rata.

LA FIESTA BRAVA
JOSÉ EMILIO PACHECO

José Emilio Pacheco (1939) es uno de los escritores más queridos y leídos en México. Tanto su vasta obra poética –reunida en el volumen *Tarde o temprano*–, como sus cuentos o novelas, están marcados por la inminencia de la catástrofe y una mirada implacable al pasado. Su *nouvelle Las batallas en el desierto* es un clásico de las letras mexicanas, que ha sido llevada al cine y al teatro, e incluso fue tema de una canción de Café Tacuba. Obtuvo el Premio Nacional de Ciencias y Artes en 1992 y el Premio Cervantes en 2009. Algunos de sus fantasmas son parte ya de las leyendas urbanas de la ciudad, que relatan los taxistas. "La fiesta brava" es el primer cuento que utiliza al metro como personaje, y está tomado de *El principio del placer*, editado en 1972.

A Lauro Zavala

SE GRATIFICARÁ

AL TAXISTA o a cualquier persona que informe sobre el paradero del señor Andrés Quintana, cuya fotografía aparece al margen. Se extravió el pasado viernes 13 de agosto de 1971 en el trayecto de la avenida Juárez a la calle de Tonalá en la colonia Roma, hacia las 23:30 (once y media) de la noche. Cualquier dato que pueda ayudar a su localización se agradecerá en los teléfonos 511 93 03 y 533 12 50.

LA FIESTA BRAVA
UN CUENTO DE ANDRÉS QUINTANA

La tierra parece ascender, los arrozales flotan en el aire, se agrandan los árboles comidos por el defoliador, bajo

71

el estruendo concéntrico de las aspas el helicóptero hace su aterrizaje vertical, otros quince se posan en los alrededores, usted salta a tierra metralleta en mano, dispara y ordena disparar contra todo lo que se mueva y aun lo inmóvil, no quedará bambú sobre bambú, no habrá ningún sobreviviente en lo que fue una aldea a orillas del río de sangre,

bala, cuchillo, bayoneta, granada, lanzallamas, culata, todo se vuelve instrumento de muerte, al terminar con los habitantes incendian las chozas y vuelven a los helicópteros, usted, capitán Keller, siente la paz del deber cumplido, arden entre las ruinas cadáveres de mujeres, niños, ancianos, no queda nadie porque, como usted dice, todos los pobladores pueden ser del Vietcong, sus hombres regresan sin una baja y con un sentimiento opuesto a la compasión, el asco y el horror que les causaron los primeros combates,

ahora, capitán Keller, se encuentra a miles de kilómetros de aquel infierno que envenena de violencia y de droga al mundo entero y usted contribuyó a desatar, la guerra aún no termina pero usted no volverá a la tierra arrasada por el napalm, porque, pensión de veterano, camisa verde, Rolleiflex, de pie en la Sala Maya del Museo de Antropología, atiende las explicaciones de una muchacha que describe en inglés cómo fue hallada la tumba en el Templo de las Inscripciones en Palenque,

usted ha llegado aquí sólo para aplazar el momento en que deberá conseguir un trabajo civil y olvidarse para siempre de Vietnam, entre todos los países del mundo escogió México porque en la agencia de viajes le informaron que era lo más barato y lo más próximo, así pues no le queda más remedio que observar con fugaz admiración esta parte de un itinerario inevitable,

en realidad nada le ha impresionado, las mejores piezas las había visto en reproducciones, desde luego en su presencia real se ven muy distintas, pero de cualquier modo no le producen mayor emoción los vestigios de un mundo aniquilado por un imperio que fue tan poderoso como el suyo, capitán Keller,

salen, cruzan el patio, el viento arroja gotas de la fuente, entran en la Sala Mexica, vamos a ver, dice la guía, apenas una mínima parte de lo que se calcula produjeron los artistas aztecas sin instrumentos de metal ni ruedas para transportar los grandes bloques de piedra, aquí está casi todo lo que sobrevivió a la destrucción de México-Tenochtitlan, la gran ciudad enterrada bajo el mismo suelo que, señoras y señores, pisan ustedes,

la violencia inmóvil de la escultura azteca provoca en usted una respuesta que ninguna obra de arte le había suscitado, cuando menos lo esperaba se ve ante el acre monolito en que un escultor sin nombre fijó como quien petrifica una obsesión la imagen implacable de Coatlicue, madre de todas las deidades, del Sol, la Luna y las estrellas, diosa que crea la vida en este planeta y recibe a los muertos en su cuerpo,

usted queda imantado por ella, imantado, no hay otra palabra, suspenderá los *tours* a Teotihuacan, Taxco y Xochimilco para volver al Museo jueves, viernes y sábado, sentarse
frente a Coatlicue y reconocer en ella algo que usted ha
intuido siempre, capitán,

su insistencia provoca sospechas entre los cuidadores, para
justificarse, para disimular esa fascinación aberrante, usted
se compra un bloc y empieza a dibujar en todos sus detalles
a Coatlicue,

el domingo le parecerá absurdo su interés en una escultura
que le resulta ajena, y en vez de volver al Museo se inscri-
birá en la excursión FIESTA BRAVA, los amigos que ha hecho
en este viaje le preguntarán por qué no estuvo con ellos en
Taxco, en Cuernavaca, en las pirámides y en los jardines
flotantes de Xochimilco, en dónde se ha metido durante
estos días, ¿acaso no leyó a D. H. Lawrence, no sabe que
la Ciudad de México es siniestra y en cada esquina acecha
un peligro mortal?, no, no, jamás salga solo, capitán Keller,
con estos mexicanos nunca se sabe,

no se preocupen, me sé cuidar, si no me han visto es porque
me paso todos los días en Chapultepec dibujando las mejores piezas, y ellos, para qué pierde su tiempo, puede comprar libros, postales, *slides*, reproducciones en miniatura,

cuando termina la conversación, en la plaza México suena
el clarín, se escucha un pasodoble, aparecen en el ruedo los
matadores y sus cuadrillas, sale el primer toro, lo capotean,

pican, banderillean y matan, usted se horroriza ante el espectáculo, no resiste ver lo que le hacen al toro, y dice a sus compatriotas, salvajes mexicanos, cómo se puede torturar así a los animales, qué país, esta maldita FIESTA BRAVA explica su atraso, su miseria, su servilismo, su agresividad, no tienen ningún futuro, habría que fusilarlos a todos, usted se levanta, abandona la plaza, toma un taxi, vuelve al Museo a contemplar a la diosa, a seguir dibujándola en el poco tiempo en que aún estará abierta la sala,

después cruza el Paseo de la Reforma, llega a la acera sobre el lago, ve iluminarse el Castillo de Chapultepec en el cerro, un hombre que vende helados empuja su carrito de metal, se le acerca y dice, buenas tardes, señor, dispense usted, le interesa mucho todo lo azteca ¿no es verdad?, antes de irse ¿no le gustaría conocer algo que nadie ha visto y usted no olvidará nunca?, puede confiar en mí, señor, no trato de venderle nada, no soy un estafador de turistas, lo que le ofrezco no le costará un solo centavo, usted en su difícil español responde, bueno, qué es, de qué se trata,

no puedo decirle ahora, señor, pero estoy seguro de que le interesará, sólo tiene que subirse al último carro del último metro el viernes 13 de agosto en la estación Insurgentes, cuando el tren se detenga en el túnel entre Isabel la Católica y Pino Suárez y las puertas se abran por un instante, baje usted y camine hacia el oriente por el lado derecho de la vía hasta encontrar una luz verde, si tiene la bondad de aceptar mi invitación lo estaré esperando, puedo jurarle que no se arrepentirá, como le he dicho es algo muy especial, *once in a lifetime*, pronuncia en perfecto inglés para asombro de usted, capitán Keller,

el vendedor detendrá un taxi, le dará el nombre de su hotel, cómo es posible que lo supiera, y casi lo empujará al interior del vehículo, en el camino pensará, fue una broma, un estúpido juego mexicano para tomar el pelo a los turistas, más tarde modificará su opinión,

y por la noche del viernes señalado, camisa verde, Rolleiflex, descenderá a la estación Insurgentes y cuando los magnavoces anuncien que el tren subterráneo se halla a punto de iniciar su recorrido final, usted subirá al último vagón, en él sólo hallará a unos cuantos trabajadores que vuelven a su casa en Ciudad Nezahualcóyotl, al arrancar el convoy usted verá en el andén opuesto a un hombre de baja estatura que lleva un portafolios bajo el brazo y grita algo que usted no alcanzará a escuchar,

ante sus ojos pasarán las estaciones Cuauhtémoc, Balderas, Salto del Agua, Isabel la Católica, de pronto se apagarán la iluminación externa y la interna, el metro se detendrá, bajará usted a la mitad del túnel, caminará sobre el balasto hacia la única luz aún encendida cuando el tren se haya alejado, la luz verde, la camisa brillando fantasmal bajo la luz verde, entonces saldrá a su encuentro el hombre que vende helados enfrente del Museo,

ahora los dos se adentran por una galería de piedra, abierta a juzgar por las filtraciones y el olor a cieno en el lecho del lago muerto sobre el que se levanta la ciudad, usted pone un *flash* en su cámara, el hombre lo detiene, no, capitán, no gaste sus fotos, pronto tendrá mucho que retratar, habla en un inglés que asombra por su naturalidad, ¿en dónde aprendió?, le pregunta, nací en Buffalo, vine por decisión propia a la tierra de mis antepasados,

el pasadizo se alumbra con hachones de una madera aromática, le dice que es ocote, una especie de pino, crece en las montañas que rodean la capital, usted no quiere confesarse, tengo miedo, cómo va a asaltarme aquí, el miedo que no sentí en Vietnam,

¿para qué me ha traído?, para ver la Piedra Pintada, la más grande escultura azteca, la que conmemora los triunfos del emperador Ahuizotl y no pudieron encontrar durante las excavaciones del metro, usted, capitán Keller, fue elegido, usted será el primer blanco que la vea desde que los españoles la sepultaron en el lodo para que los vencidos perdieran la memoria de su pasada grandeza y pudieran ser despojados de todo, marcados a hierro, convertidos en bestias de trabajo y de carga,

el habla de este hombre lo sorprende por su vehemencia, capitán Keller, y todo se agrava porque los ojos de su interlocutor parecen resplandecer en la penumbra, usted los ha visto antes, ¿en dónde?, ojos oblicuos pero en otra forma, los que llamamos indios llegaron por el Estrecho de Bering, ¿no es así? México también es asiático, podría decirse, pero no temo a nada, pertenecí al mejor ejército del mundo, invicto siempre, soy un veterano de guerra,

ya que ha aceptado meterse en todo esto, confía en que la aventura valga la pena, puesto que ha descendido a otro infierno espera el premio de encontrar una ciudad subterránea que reproduzca al detalle la México-Tenochtitlan con sus lagos y sus canales como la representan las maquetas del Museo, pero, capitán Keller, no hay nada semejante, sólo de trecho en trecho aparecen ruinas, fragmentos de adoratorios y palacios aztecas, cuatro siglos atrás sus piedras se emplearon como base, cimiento y relleno de la ciudad española,

el olor a fango se hace más fuerte, usted tose, se ha resfriado por la humedad intolerable, todo huele a encierro y a tumba, el pasadizo es un inmenso sepulcro, abajo está el lago muerto, arriba la ciudad moderna, ignorante de lo que lleva en sus entrañas, por la distancia recorrida, supone usted, deben de estar muy cerca de la gran plaza, la catedral y el palacio,

quiero salir, sáqueme de aquí, le pago lo que sea, dice a su acompañante, espere, capitán, no se preocupe, todo está bajo control, ya vamos a llegar, pero usted insiste, quiero irme ahora mismo le digo, usted no sabe quién soy yo, lo sé muy bien, capitán, en qué lío puede meterse si no me obedece,

usted no ruega, no pide, manda, impone, humilla, está acostumbrado a dar órdenes, los inferiores tienen que obedecerlas, la firmeza siempre da resultado, el vendedor contesta en efecto, no se preocupe, estamos a punto de llegar a una salida, a unos cincuenta metros le muestra una puerta oxidada, la abre y le dice con la mayor suavidad, pase usted, capitán, si es tan amable,

y entra usted sin pensarlo dos veces, seguro de que saldrá a la superficie, y un segundo más tarde se halla encerrado en una cámara de tezontle sin más luz ni ventilación que las producidas por una abertura de forma indescifrable, ¿el glifo del viento, el glifo de la muerte?,

a diferencia del pasadizo allí el suelo es firme y parejo, ladrillo antiquísimo o tierra apisonada, en un rincón hay una estera que los mexicanos llaman petate, usted se tiende en ella, está cansado y temeroso pero no duerme, todo es tan irreal, parece tan ilógico y tan absurdo que usted no alcanza a ordenar las impresiones recibidas, qué vine a hacer aquí, quién demonios me mandó venir a este maldito país, cómo pude ser tan idiota de aceptar una invitación a ser asaltado, pronto llegarán a quitarme la cámara, los cheques de viajero y el pasaporte, son simples ladrones, no se atreverán a matarme,

la fatiga vence a la ansiedad, lo adormecen el olor a légamo, el rumor de conversaciones lejanas en un idioma desconocido, los pasos en el corredor subterráneo, cuando por fin abre los ojos comprende, anoche no debió haber cenado esa atroz comida mexicana, por su culpa ha tenido una pesadilla, de qué manera el inconsciente saquea la realidad, el Museo, la escultura azteca, el vendedor de helados, el metro, los túneles extraños y amenazantes del ferrocarril subterráneo, y cuando cerramos los ojos le da un orden o un desorden distintos,

qué descanso despertar de ese horror en un cuarto limpio y seguro del Holiday Inn, ¿habrá gritado en el sueño?, menos mal que no fue el otro, el de los vietnamitas que salen de la fosa común en las mismas condiciones en que usted los dejó pero agravadas por los años de corrupción, menos mal, qué hora es, se pregunta, extiende la mano que se mueve en el vacío y trata en vano de alcanzar la lámpara, la lámpara no está, se llevaron la mesa de noche, usted se levanta para encender la luz central de su habitación,

en ese instante irrumpen en la celda del subsuelo los hombres que lo llevan a la Piedra de Ahuizotl, la gran mesa circular acanalada, en una de las pirámides gemelas que forman el Templo Mayor de México-Tenochtitlan, lo aseguran contra la superficie de basalto, le abren el pecho con un cuchillo de obsidiana, le arrancan el corazón, abajo danzan, abajo tocan su música tristísima, y lo levantan para ofrecerlo como alimento sagrado al dios-jaguar, al sol que viajó por las selvas de la noche,

y ahora, mientras su cuerpo, capitán Keller, su cuerpo deshilvanado rueda por la escalinata de la pirámide, con la fuerza de la sangre que acaban de ofrendarle el sol renace en forma de águila sobre México-Tenochtitlan, el sol eterno entre los dos volcanes.

Andrés Quintana escribió entre guiones el número 78 en la hoja de papel revolución que acababa de introducir en la máquina eléctrica Smith-Corona y se volvió hacia la izquierda para leer la página de *The Population Bomb*. En ese instante, un grito lo apartó de su trabajo: –FBI. Arriba las manos. No se mueva–. Desde las cuatro de la tarde el televisor había sonado a todo volumen en el departamento contiguo. Enfrente los jóvenes que formaban un conjunto de *rock* atacaron el mismo pasaje ensayado desde el mediodía:

> *Where's your momma gone?*
> *Where's your momma gone?*
> *Little baby don*
> *Little baby don*
> *Where's your momma gone?*
> *Where's your momma gone?*
> *Far, far away.*

Se puso de pie, cerró la ventana abierta sobre el lúgubre patio interior, volvió a sentarse al escritorio y releyó:

SCENARIO II. *In 1979 the last non-Communist Governement in Latin America, that of Mexico, is replaced by a Chinese supported military junta. The change occurs at the end of a decade of frustration and failure for the United States. Famine has swept repeatedly across Africa and South America. Food riots have often became anti-American riots.*

Meditó sobre el término que traduciría mejor la palabra *scenario*. Consultó la sección *English/Spanish* del *New World*.

"Libreto, guión, argumento." No en el contexto. ¿Tal vez "posibilidad, hipótesis"? Releyó la primera frase y con el índice de la mano izquierda (un accidente infantil le había paralizado la derecha) escribió a gran velocidad:

> En 1979 el gobierno de México (¿el gobierno mexicano?), *último no-comunista que quedaba en América Latina* (¿Latinoamérica, Hispanoamérica, Iberoamérica, la América española?), *es reemplazado* (¿derrocado?) *por una junta militar apoyada por China* (¿con respaldo chino?).

Al terminar, Andrés leyó el párrafo en voz alta: "que quedaba", suena horrible. Hay dos "pores" seguidos. E "ina-ina". Qué prosa. Cada vez traduzco peor. Sacó la hoja y bajo el antebrazo derecho la prensó contra la mesa para romperla con la mano izquierda. Sonó el teléfono.

–Diga.

–Buenas tardes. ¿Puedo hablar con el señor Quintana?

–Sí, soy yo.

–Ah, *quihúbole*, Andrés, como estás, qué me cuentas.

–Perdón… ¿quién habla?

–¿Ya no me reconoces? Claro, hace siglos que no conversamos. Soy Arbeláez y te voy a dar lata como siempre.

–Ricardo, hombre, qué gusto, qué sorpresa. Llevaba años sin saber de ti.

–Es increíble todo lo que me ha pasado. Ya te contaré cuando nos reunamos. Pero antes déjame decirte que me embarqué en un proyecto sensacional y quiero ver si cuento contigo.

–Sí, cómo no. ¿De qué se trata?

—Mira, es cuestión de reunirnos y conversar. Pero te adelanto algo a ver si te animas. Vamos a sacar una revista como no hay otra en *Mexiquito*. Aunque es difícil calcular estas cosas, creo que va a salir algo muy especial.

—¿Una revista literaria?

—Bueno, en parte. Se trata de hacer una especie de *Esquire* en español. Mejor dicho, una mezcla de *Esquire*, *Playboy*, *Penthouse* y *The New Yorker* —¿no te parece una locura?— pero desde luego con una proyección *latina*.

—Ah, pues muy bien —dijo Andrés en el tono más desganado.

—¿Verdad que es buena onda el proyecto? Hay dinero, anunciantes, distribución, equipo: todo. Meteremos publicidad distinta según los países y vamos a imprimir en Panamá. Queremos que en cada número haya reportajes, crónicas, entrevistas, caricaturas, críticas, humor, secciones fijas, un "desnudo del mes" y otras dos encueradas, por supuesto, y también un cuento inédito escrito en español.

—Me parece estupendo.

—Para el primero se había pensado en *comprarle* uno a *Gabo*… No estuve de acuerdo: insistí en que debíamos lanzar con proyección continental a un autor mexicano, ya que la revista se hace aquí en *Mexiquito*, tiene ese defecto, ni modo. Desde luego, pensé en ti, a ver si nos haces el honor.

—Muchas gracias, Ricardo. No sabes cuánto te agradezco.

—Entonces, ¿aceptas?

—Sí, claro… Lo que pasa es que no tengo ningún cuento nuevo… En realidad hace mucho que no escribo.

—¡No me digas! ¿Y eso?

—Pues… problemas, chamba, desaliento… En fin, lo de siempre.

—Mira, olvídate de todo y siéntate a pensar en tu relato ahora mismo. En cuanto esté me lo traes. Supongo que no tardarás mucho. Queremos sacar el primer número en diciembre para salir con todos los anuncios de fin de año… A ver: ¿a qué estamos…? 12 de agosto… Sería perfecto que me lo entregaras… el día primero no se trabaja, es el informe presidencial… el 2 de septiembre ¿te parece bien?

—Pero, Ricardo, sabes que me tardo siglos con un cuento… Hago diez o doce versiones… Mejor dicho: *me tardaba, hacía*.

—Oye, debo decirte que por primera vez en este pinche país se trata de pagar bien, como se merece, un texto literario. A nivel internacional no es gran cosa, pero con base en lo que suelen darte en *Mexiquito* es una fortuna… He pedido para ti mil quinientos dólares.

—¿Mil quinientos dólares por un cuento?

—No está nada mal ¿verdad? Ya es hora de que se nos quite lo subdesarrollados y aprendamos a cobrar nuestro trabajo… De manera, mi querido Andrés, que te me vas poniendo a escribir en este instante. Toma mis datos, por favor.

Andrés apuntó la dirección y el teléfono en la esquina superior derecha de un periódico en el que se leía: HAY QUE FORTALECER LA SITUACIÓN PRIVILEGIADA QUE TIENE MÉXICO DENTRO DEL TURISMO MUNDIAL. Abundó en expresiones de gratitud hacia Ricardo. No quiso continuar la traducción. Ansiaba la llegada de su esposa para contarle del milagro.

Hilda se asombró: Andrés no estaba quejumbroso y desesperado como siempre. Al ver su entusiasmo no quiso disuadirlo, por más que la tentativa de empezar y terminar el cuento en una sola noche le parecía condenada al fracaso. Cuando Hilda se fue a dormir, Andrés escribió el título, LA FIESTA BRAVA, y las primeras palabras: "La tierra parece ascender".

Llevaba años sin trabajar de noche con el pretexto de que el ruido de la máquina molestaba a sus vecinos. En realidad tenía mucho sin hacer más que traducciones y prosas burocráticas. Andrés halló de niño su vocación de cuentista y quiso dedicarse sólo a este género. De adolescente su biblioteca estaba formada sobre todo por colecciones de cuentos. Contra la dispersión de sus amigos, él se enorgullecía de casi no leer poemas, novelas, ensayos, dramas, filosofía, historia, libros políticos, y frecuentar en cambio los cuentos de los grandes narradores vivos y muertos.

Durante algunos años, Andrés cursó la carrera de arquitectura, obligado como hijo único a seguir la profesión de su padre. Por las tardes iba como oyente a los cursos de Filosofía y Letras que pudieran ser útiles para su formación como escritor. En la Ciudad Universitaria recién inaugurada, Andrés conoció al grupo de la revista *Trinchera*, impresa en papel sobrante de un diario de nota roja, y a su director Ricardo Arbeláez, que sin decirlo actuaba como maestro de esos jóvenes.

Ya cumplidos los treinta y varios años, después de haberse titulado en Derecho, Arbeláez quería doctorarse en Literatura y convertirse en el gran crítico que iba a establecer un nuevo orden en las letras mexicanas. En la Facultad y en el Café de las Américas hablaba sin cesar de sus proyectos: una nueva historia literaria a partir de la estética marxista y una *gran novela* capaz de representar para el México de aquellos años lo que *En busca del tiempo perdido* significó para Francia. Él insinuaba que había roto con su familia aristocrática, una mentira a todas luces, y por tanto haría su libro con verdadero conocimiento de causa. Hasta entonces su obra se limitaba a reseñas siempre adversas y a textos contra el PRI y el gobierno de Ruiz Cortines.

Ricardo era un misterio aun para sus más cercanos amigos. Se murmuraba que tenía esposa e hijos y, contra sus ideas, trabajaba por las mañanas en el bufete de un *abogángster*, defensor de los indefendibles y famoso por sus escándalos. Nadie lo visitó nunca en su oficina ni en su casa. La vida pública de Arbeláez empezaba a las cuatro de la tarde en la Ciudad Universitaria y terminaba a las diez de la noche en el Café de las Américas.

Andrés siguió las enseñanzas del maestro y publicó sus primeros cuentos en *Trinchera*. Sin renunciar a su actitud crítica ni a la exigencia de que sus discípulos escribieran la mejor prosa y el mejor verso posibles, Ricardo consideraba a Andrés "el cuentista más prometedor de la nueva generación". En su balance literario de 1958 hizo el elogio definitivo: "Para narrar, nadie como Quintana".

Su preferencia causó estragos en el grupo. A partir de entonces, Hilda se fijó en Andrés. Entre todos los de *Trinchera* sólo él sabía escucharla y apreciar sus poemas. Sin embargo, no había intimado con ella porque Hilda estaba siempre al lado de Ricardo. Su relación jamás quedó clara.

A veces parecía la intocada discípula y admiradora de quien les indicaba qué leer, qué opinar, cómo escribir, a quién admirar o detestar. En ocasiones, a pesar de la diferencia de edades, Ricardo la trataba como a una novia de aquella época y de cuando en cuando todo indicaba que tenían una relación mucho más íntima.

Arbeláez pasó unas semanas en Cuba para hacer un libro, que no llegó a escribir, sobre los primeros meses de la revolución. Insinuó que él había presentado a Ernesto Guevara y a Fidel Castro, y en agradecimiento ambos lo invitaban a celebrar el triunfo. Esta mentira, pensó Andrés, comprobaba que Arbeláez era un mitómano. Durante su ausencia Hilda y Quintana se vieron todos los días y a toda hora. Convencidos de que no podrían separarse, decidieron hablar con Ricardo en cuanto volviera de Cuba.

La misma tarde de la conversación en el Café Palermo, el 28 de marzo de 1959, las fuerzas armadas rompieron la huelga ferroviaria y detuvieron a su líder Demetrio Vallejo. Arbeláez no objetó la unión de sus amigos pero se apartó de ellos y no volvió a Filosofía y Letras. Los amores de Hilda y Andrés marcaron el fin del grupo y la muerte de *Trinchera*.

En febrero de 1960, Hilda quedó embarazada. Andrés no dudó un instante en casarse con ella. La madre (a quien el marido había abandonado con dos hijas pequeñas) aceptó el matrimonio como un mal menor. Los señores Quintana lo consideraron una equivocación: a punto de cumplir veinticinco años Andrés dejaba los estudios cuando ya sólo le faltaba presentar la tesis y no podría sobrevivir como escritor. Ambos eran católicos y miembros del Movimiento Familiar Cristiano. Se estremecían al pensar en un aborto, una madre soltera, un hijo sin padre. Resignados, obsequiaron a los nuevos esposos algún dinero y una casita seudocolonial de las que el arquitecto había construido en Coyoacán con materiales de las demoliciones en la ciudad antigua.

Andrés, que aún seguía trabajando cada noche en sus cuentos y se negaba a publicar un libro, nunca escribió notas ni reseñas. Ya que no podía dedicarse al periodismo, mientras intentaba abrirse paso como guionista de cine, tuvo que redactar las memorias de un general revolucionario. Ningún *script* satisfizo a los productores. Por su parte, Arbeláez empezó a colaborar cada semana en *México en la Cultura*. Durante un tiempo sus críticas feroces fueron muy comentadas.

Hilda perdió al niño en el sexto mes de embarazo. Quedó incapacitada para concebir, abandonó la universidad y nunca más volvió a hacer poemas. El general murió cuando Andrés iba a la mitad del segundo volumen. Los herederos cancelaron el proyecto. En 1961, Hilda y Andrés se mudaron a un sombrío departamento interior de la colonia Roma. El alquiler de su casa en Coyoacán completaría lo que ganaba Andrés traduciendo libros para una empresa que fomentaba el panamericanismo, la Alianza para el Progreso y la imagen de John Fitzgerald Kennedy. En el *Suplemento* por excelencia de aquellos años Arbeláez (sin mencionar a Andrés) denunció a la casa editorial como tentáculo de la CIA. Cuando la inflación pulverizó su presupuesto, las amistades familiares obtuvieron para Andrés la plaza de corrector de estilo en la Secretaría de Obras Públicas. Hilda quedó empleada, como su hermana, en la *boutique* de *madame* Marnat en la Zona Rosa.

En 1962 Sergio Galindo, en la serie Ficción de la Universidad Veracruzana, publicó *Fabulaciones*, el primer y último libro de Andrés Quintana. *Fabulaciones* tuvo la mala suerte de salir al mismo tiempo y en la misma colección que la segunda obra de Gabriel García Márquez, *Los funerales de la Mamá Grande*, y en los meses de *Aura* y *La muerte de Artemio Cruz*. Se vendieron ciento treinta y cuatro de sus dos mil ejemplares y Andrés compró otros setenta y cinco. Hubo una sola reseña escrita por Ricardo en el nuevo suplemento *La Cultura en México*. Andrés le mandó una carta de agradecimiento. Nunca supo si había llegado a manos de Arbeláez.

Después las revistas mexicanas dejaron, durante mucho tiempo, de publicar narraciones breves y el auge de la novela hizo que ya muy pocos se interesaran por escribirlas. Edmundo Valadés inició *El Cuento* en 1964 y reprodujo a lo largo de varios años algunos textos de *Fabulaciones*. Joaquín Díez-Canedo le pidió una nueva colección para la Serie del Volador de su editorial Joaquín Mortiz. Andrés le prometió al subdirector, Bernardo Giner de los Ríos, que en marzo de 1966 iba a entregarle el nuevo libro. Concursó en vano por la beca del Centro Mexicano de Escritores. Se desalentó, pospuso el volver a escribir para una época en que todos sus problemas se hubieran resuelto e Hilda y su hermana pudiesen independizarse de *madame* Marnat y establecer su propia tienda.

Ricardo había visto interrumpida su labor cuando se suicidó un escritor víctima de un comentario. No hubo en el medio nadie que lo defendiera del escándalo. En cambio, el *abogángster* salió a los periódicos y argumentó: Nadie se quita la vida por una nota de mala fe; el señor padecía suficientes problemas y enfermedades como para negarse a seguir viviendo. El suicidio y el resentimiento acumulado hicieron que la ciudad se le volviera irrespirable a Ricardo. Al no hallar editor para lo que iba a ser su tesis, tuvo que humillarse a imprimirla por su cuenta. El gran esfuerzo de revisar la novela mexicana halló un solo eco: Rubén Salazar Mallén, uno de los más antiguos críticos, lamentó como finalmente reaccionaria la aplicación dogmática de las teorías de Georg Lucáks. El rechazo de su modelo a cuanto significara vanguardismo, fragmentación, alienación, condenaba a Arbeláez a no entender los libros de aquel momento y destruía sus pretensiones de novedad y originalidad. Hasta entonces, Ricardo había sido el juez y no el juzgado. Se deprimió pero tuvo la nobleza de admitir que Salazar Mallén acertaba en sus objeciones.

Como tantos que prometieron todo, Ricardo se estrelló contra el muro de México. Volvió por algún tiempo a La Habana y luego obtuvo un puesto como profesor de español en Checoslovaquia. Estaba en Praga cuando sobrevino la invasión soviética de 1968. Lo último que supieron Hilda y Andrés fue que había emigrado a Washington y trabajaba para la OEA. En un segundo pasaron los sesenta, cambió el mundo, Andrés cumplió treinta años en 1966, México era distinto y otros jóvenes llenaban los sitios donde entre 1955 y 1960 ellos escribieron, leyeron, discutieron, aprendieron, publicaron *Trinchera*, se amaron, se apartaron, siguieron su camino o se frustraron.

Sea como fuere, Andrés le decía a Hilda por las noches: / mi vocación era escribir y de un modo o de otro la estoy cumpliendo. / Al fin y al cabo las traducciones, los folletos y aun los oficios burocráticos pueden estar tan bien escritos como un cuento, ¿no crees? / Sólo por un concepto elitista y arcaico puede creerse que lo único válido es la llamada "literatura de creación", ¿no te parece? / Además no quiero competir con los escritorzuelos mexicanos inflados por la publicidad; noveluchas como las que ahora tanto elogian los seudocríticos que padecemos, yo podría hacerlas de a diez por año, ¿verdad? / Hilda, cuando estén hechos polvo todos los libros que hoy tienen éxito en México, alguien leerá *Fabulaciones* y entonces… /

Y ahora por un cuento –el primero en una década, el único posterior a *Fabulaciones*– estaba a punto de recibir lo que ganaba en meses de tardes enteras ante la máquina traduciendo lo que definía como *ilegibros*. Iba a pagar sus deudas de oficina, a comprarse las cosas que le faltaban, a comer en restaurantes, a irse de vacaciones con Hilda. Gracias a Ricardo había recuperado su impulso literario y dejaba atrás los pretextos para ocultarse su fracaso esencial:

En el subdesarrollo no se puede ser escritor. / Estamos en 1971: el libro ha muerto: nadie volverá a leer nunca: ahora lo que me interesa son los *mass media*. / Bueno, cuando se trata de escribir todo sirve, no hay trabajo perdido: de mi experiencia burocrática, ya verás, saldrán cosas. /

Con el índice de la mano izquierda escribió "los arrozales flotan en el aire" y prosiguió sin detenerse. Nunca antes lo había hecho con tanta fluidez. A las cinco de la mañana puso el punto final en "entre los dos volcanes". Leyó sus páginas y sintió una plenitud desconocida. Cuando se fue a dormir se había fumado una cajetilla de Viceroy y bebido cuatro Coca-Colas, pero acababa de terminar LA FIESTA BRAVA.

Andrés se levantó a las once. Se bañó, se afeitó y llamó por teléfono a Ricardo.

—No puede ser. Ya lo tenías escrito.

—Te juro que no. Lo hice anoche. Voy a corregirlo y a pasarlo en limpio. A ver qué te parece. Ojalá funcione. ¿Cuándo te lo llevo?

—Esta misma noche si quieres. Te espero a las nueve en mi oficina.

—Muy bien. Allí estaré a las nueve en punto. Ricardo, de verdad, no sabes cuánto te lo agradezco.

—No tienes nada que agradecerme, Andrés. Te mando un abrazo.

Habló a Obras Públicas para disculparse por su ausencia ante el jefe del departamento. Hizo cambios a mano y reescribió el cuento a máquina. Comió un sándwich de mortadela casi verdosa. A las cuatro emprendió una última versión en papel bond de Kimberly Clark. Llamó a Hilda a la *boutique* de *madame* Marnat. Le dijo que había terminado el cuento e iba a entregárselo a Arbeláez. Ella le contestó:

—De seguro vas a llegar tarde. Para no quedarme sola iré al cine con mi hermana.

—Ojalá pudieran ver *Ceremonia secreta*. Es de Joseph Losey.

—Sí, me gustaría. ¿No sabes en qué cine la pasan? Bueno, te felicito por haber vuelto a escribir. Que te vaya bien con Ricardo.

A las ocho y media, Andrés subió al metro en la estación Insurgentes. Hizo el cambio en Balderas, descendió en Juárez y llegó puntual a la oficina. La secretaria era tan hermosa que él se avergonzó de su delgadez, su baja estatura, su ropa gastada, su mano tullida. A los pocos minutos, la joven le abrió las puertas de un despacho iluminado en exceso. Ricardo Arbeláez se levantó del escritorio y fue a su encuentro para abrazarlo.

Doce años habían pasado desde aquel 28 de marzo de 1959. Arbeláez le pareció irreconocible con el traje de Shantung azul turquesa, las patillas, el bigote, los anteojos sin aro, el pelo entrecano. Andrés volvió a sentirse fuera de lugar en aquella oficina de ventanas sobre la Alameda y paredes cubiertas de fotomurales con viejas litografías de la ciudad.

Se escrutaron por unos cuantos segundos. Andrés sintió forzada la actitud antinostálgica, de *como decíamos ayer*, que adoptaba Ricardo. Ni una palabra acerca de la vieja época, ninguna pregunta sobre Hilda, ni el menor intento de ponerse al corriente y hablar de sus vidas durante el largo tiempo en que dejaron de verse. Creyó que la cordialidad telefónica no tardaría en romperse.

/ Me trajo a su terreno. / Va a demostrarme su poder. / El ha cambiado. / Yo también. / Ninguno de los dos es lo que quisiera haber sido. / Ambos nos traicionamos a nosotros mismos. / ¿A quién le fue peor? /

Para romper la tensión, Arbeláez lo invitó a sentarse en el sofá de cuero negro. Se colocó frente a él y le ofreció un Benson & Hedges (antes fumaba Delicados). Andrés sacó del portafolios LA FIESTA BRAVA. Ricardo apreció la mecanografía sin una sola corrección manuscrita. Siempre lo admiraron los originales impecables de Andrés, tanto más asombrosos porque estaban hechos a toda velocidad y con un solo dedo.

—Te quedó de un tamaño perfecto. Ahora, si me permites un instante, voy a leerlo con Mr. Hardwick, el *editor-in-chief* de la revista. Es de una onda muy padre. Trabajó en *Time Magazine*. ¿Quieres que te presente con él?

—No, gracias. Me da pena.

—¿Pena por qué? Sabe de ti. Te está esperando.

—No hablo inglés.

—¡Cómo! Pero si has traducido miles de libros.

—Quizá por eso mismo.

—Sigues tan raro como siempre. ¿Te ofrezco un whisky, un café? Pídele a Viviana lo que desees.

Al quedarse solo Andrés hojeó las publicaciones que estaban en la mesa frente al sofá y se detuvo en un anuncio:

Located on 150 000 feet of Revolcadero Beach and rising 16 stories like an Aztec Pyramid, the $40 million Acapulco Princess Hotel and Club de Golf opened as this jet-set resort's largest and most lavish yet... One of the most spectacular hotels you will ever see, it has a lobby modeled like an Aztec temple with sunlight and moonlight filtering through the translucent roof. The 20 000 feet lobby's atrium is complemented by 60 feet palm-trees, a flowing lagoon and Mayan sculpture.

Pero estaba inquieto, no podía concentrarse. Miró por la ventana la Alameda sombría, la misteriosa ciudad, sus luces indescifrables. Sin que él se lo pidiera, Viviana entró a servirle café y luego a despedirse y a desearle suerte con una amabilidad que lo aturdió aún más. Se puso de pie, le estrechó la mano, hubiera querido decirle algo pero sólo acertó a darle las gracias. Se había tardado en reconocer lo más evidente: la muchacha se parecía a Hilda, a Hilda en 1959, a Hilda con ropa como la que vendía en la *boutique* de *madame* Marnat pero no alcanzaba a comprarse. Alguien, se dijo Andrés, con toda seguridad la espera en la entrada del edificio. / Adiós, Viviana, no volveré a verte. /

Dejó enfriarse el café y volvió a observar los fotomurales. Lamentó la muerte de aquella Ciudad de México. Imaginó el relato de un hombre que de tanto mirar una litografía termina en su interior, entre personajes de otro mundo. Incapaz de salir, ve desde 1855 a sus contemporáneos que lo miran inmóvil y unidimensional una noche de septiembre de 1971.

En seguida pensó: / Ese cuento no es mío, / otro lo ha escrito, / acabo de leerlo en alguna parte. / O tal vez no: lo he inventado aquí en esta extraña oficina, situada en el lugar menos idóneo para una revista con tales pretensiones. / En realidad me estoy evadiendo: aún no asimilo el encuentro con Ricardo. /

¿Habrá dejado de pensar en Hilda? / ¿Le seguiría gustando si la viera tras once años de matrimonio con el fiasco más grande de su generación? / "Para fracasar, nadie como Quintana", escribiría ahora si hiciera un balance de la narrativa actual. / ¿Cuáles fueron sus verdaderas relaciones con Hilda? / ¿Por qué ella sólo ha querido contarme vaguedades acerca de la época que pasó con Ricardo? / ¿Me tendieron una trampa, me cazaron para casarme a fin de que él, en teoría, pudiera seguir libre de obligaciones domésticas, irse de México, realizarse como escritor en vez de terminar como un burócrata que traduce *ilegibros* pagados a trasmano por la CIA? / ¿No es vil y canalla desconfiar de la esposa que ha resistido a todas mis frustraciones y depresiones para seguir a mi lado? ¿No es un crimen calumniar a Ricardo, mi maestro, el amigo que por simple generosidad me tiende la mano cuando más falta me hace? /

Y ¿habrá escrito su novela Ricardo? / ¿La llegará a escribir algún día? / ¿Por qué el director de *Trinchera*, el crítico implacable de todas las corrupciones literarias y humanas, se halla en esta oficina y se dispone a hacer una revista que ejemplifica todo aquello contra lo que luchamos en nuestra juventud? / ¿Por qué yo mismo respondí con tal entusiasmo a una oferta sin explicación lógica posible? /

¿Tan terrible es el país, tan terrible es el mundo, que en él todas las cosas son corruptas o corruptoras y nadie puede salvarse? / ¿Qué pensará de mí Ricardo? / ¿Me aborrece, me envidia, me desprecia? / ¿Habrá alguien capaz de envidiarme en mis humillaciones y fracasos? / Cuando menos tuve la fuerza necesaria para hacer un libro de cuentos. Ricardo no. / Su elogio de *Fabulaciones* y ahora su oferta, desmedida para un escritor que ya no existe, ¿fueron gentilezas, insultos, manifestaciones de culpabilidad o mensajes cifrados para Hilda? / El dinero prometido ¿paga el talento de un narrador a quien ya nadie recuerda? / ¿O es una forma de ayudar a Hilda al saber (¿por quién?, ¿tal vez por ella misma?) de la rancia convivencia, las dificultades conyugales, el malhumor del fracasado, la burocracia devastadora, las ineptas traducciones de lo que no se leerá nunca, el horario mortal de Hilda en la *boutique* de *madame* Marnat? /

Dejó de hacerse preguntas sin respuesta, de dar vueltas por el despacho alfombrado, de fumar un Viceroy tras otro. Miró su reloj:

/ Han pasado casi dos horas. / La tardanza es el peor augurio. / ¿Por qué este procedimiento insólito cuando lo habitual es dejarle el texto al editor y esperar sus noticias para dentro de quince días o un mes? / ¿Cómo es posible que permanezcan hasta medianoche con el único objeto de decidir ahora mismo sobre una colaboración más entre las muchas solicitadas para una revista que va a salir en diciembre? /

Cuando se abrió de nuevo la puerta por la que había salido Viviana y apareció Ricardo con el cuento en las manos, Andrés se dijo: / Ya viví este momento. / Puedo recitar la continuación. /

—Andrés, perdóname. Nos tardamos siglos. Es que estuvimos dándole vueltas y vueltas a tu *historia*.

También en el recuerdo imposible de Andrés, Ricardo había dicho *historia*, no *cuento*. Un anglicismo, desde luego. / No importa. / Una traducción mental de *story*, de *short story*. / Sin esperanza, seguro de la respuesta, se atrevió a preguntar:

—¿Y qué les pareció?

—Mira, no sé cómo decírtelo. Tu narración me gusta, es interesante, está bien escrita… Sólo que, como en *Mexiquito* no somos profesionales, no estamos habituados a hacer cosas sobre pedido, sin darte cuenta bajaste el nivel, te echaste algo como para otra revista, no para la nuestra. ¿Me explico? LA FIESTA BRAVA resulta un *maquinazo*, tienes que reconocerlo. Muy digno, como siempre fueron tus cuentos, y a pesar de todo un *maquinazo*. Sólo Chejov y Maupassant pudieron hacer un gran cuento en tan poco tiempo.

Andrés hubiera querido decirle: / Lo escribí en unas horas, lo pensé años enteros. / Sin embargo no contestó. Miró azorado a Ricardo y en silencio se reprochó: / Me duele menos perder el dinero que el fracaso literario y la humillación ante Arbeláez. / Pero ya Ricardo continuaba:

—De verdad créemelo, no sabes cuánto lamento esta situación. Me hubiera encantado que Mr. Hardwick aceptara LA FIESTA BRAVA. Ya ves, fuiste el primero a quien le hablé.

—Ricardo, las excusas salen sobrando: di que no sirve y se acabó. No hay ningún problema.

El tono ofendió a Arbeláez. Hizo un gesto para controlarse y añadió:

—*Sí* hay problemas. Te falta precisión. No se ve al personaje. Tienes párrafos confusos —el último, por ejemplo— gracias a tu capricho de sustituir por comas los demás signos de puntuación. ¿Vanguardismo a estas alturas? Por favor, Andrés, estamos en 1971, Joyce escribió hace medio siglo. Bueno, si te parece poco, tu anécdota es irreal en el peor sentido. Además eso del "sustrato prehispánico enterrado pero vivo" ya no aguanta, en serio ya no aguanta. Carlos Fuentes agotó el tema. Desde luego tú lo ves desde un ángulo distinto, pero de todos modos… El asunto se complica porque empleas la segunda persona, un recurso que hace mucho perdió su novedad y acentúa el parecido con *Aura* y *La muerte de Artemio Cruz*. Sigues en 1962, tal parece.

—Ya todo se ha escrito. Cada cuento sale de otro cuento. Pero, en fin, tus objeciones son irrebatibles excepto en lo de Fuentes. Jamás he leído un libro suyo. No leo literatura mexicana... Por higiene mental —Andrés comprendió tarde que su arrogancia de perdedor sonaba a hueco.

—Pues te equivocas. Deberías leer a los que escriben junto a ti... Mira, LA FIESTA BRAVA me recuerda también un cuento de Cortázar.

—¿"La noche boca arriba"?

—Exacto.

—Puede ser.

—Y ya que hablamos de antecedentes, hay un texto de Rubén Darío: "Huitzilopochtli". Es de lo último que escribió. Un relato muy curioso de un gringo en la Revolución Mexicana y de unos ritos prehispánicos.

—¿Escribió cuentos Darío? Creí que sólo había sido poeta... Bueno, pues me retiro, desaparezco.

—Un momento: falta el colofón. A Mr. Hardwick la trama le pareció burda y tercermundista, de un antiyanquismo barato. Puro lugar común. Encontró no sé cuántos símbolos.

—No hay ningún símbolo. Todo es directo.

—El final sugiere algo que no está en el texto y que, si me perdonas, considero estúpido.

—No entiendo.

—Es como si quisieras ganarte a los *acelerados* de la Universidad o tuvieras nostalgia de nuestros ingenuos tiempos en *Trinchera*: "México será la tumba del imperialismo norteamericano, del mismo modo que en el siglo XIX hundió las aspiraciones de Luis Bonaparte, Napoleón III". ¿No es así? Discúlpame, Andrés, te equivocaste. Mr. Hardwick también está contra la guerra de Vietnam, por supuesto, y sabes que en el fondo mi posición no ha variado: cambió el mundo, ¿no es cierto? Pero, Andrés, en qué cabeza cabe, a quién se le ocurre traer a una revista con fondos de allá arriba un cuento en que proyectas deseos –conscientes, inconscientes o subconscientes– de ahuyentar el turismo y de chingarte a los gringos. ¿Prefieres a los rusos? Yo los vi entrar en Praga para acabar con el único socialismo que hubiera valido la pena.

–Quizá tengas razón. A lo mejor yo solo me puse la trampa.

–Puede ser, *who knows*. Pero mejor no psicoanalicemos porque vamos a concluir que tal vez tu cuento es una agresión disfrazada en contra mía.

–No, cómo crees –Andrés fingió reír con Ricardo, hizo una pausa y añadió–: Bueno, muchas gracias de cualquier modo.

–Por favor, no lo tomes así, no seas absurdo. Espero otra cosa tuya aunque no sea para el primer número. Andrés, esta revista no trabaja a la mexicana: lo que se encarga se paga. Aquí tienes: son doscientos dólares nada más, pero algo es algo.

Ricardo tomó de su cartera diez billetes de veinte dólares. Andrés pensó que el gesto lo humillaba y no extendió la mano para recibirlos.

–No te sientas mal aceptándolos. Es la costumbre en Estados Unidos. Ah, si no te molesta, fírmame este recibo y déjame unos días tu original para mostrárselo al administrador y justificar el pago. Después te lo mando con un *office boy*, porque el correo en *este país*...

–Muy bien. Gracias de nuevo. Intentaré traerte alguna otra cosa.

–Tómate tu tiempo y verás como al segundo intento habrá suerte. Los gringos son muy profesionales, muy perfeccionistas. Si mandan rehacer tres veces una nota de libros, imagínate lo que exigen de un cuento. Oye, el pago no te compromete a nada: puedes meter tu historia en cualquier revista local.

–Para qué. No sirvió. Mejor nos olvidamos del asunto... ¿Te quedas?

–Sí, tengo que hacer unas llamadas.

–¿A esta hora? Ya es muy tarde, ¿no?

–Tardísimo, pero mientras orbitamos la revista hay que trabajar a marchas forzadas... Andrés, te agradezco mucho que hayas cumplido el encargo y por favor salúdame a Hilda.

–Gracias, Ricardo. Buenas noches.

Salió al pasillo en tinieblas, donde sólo ardían las luces en el tablero del elevador. Tocó el timbre y poco después se abrió la jaula luminosa. Al llegar al vestíbulo, le abrió la puerta de la calle un velador soñoliento, la cara oculta tras una bufanda. Andrés regresó a la noche de México. Fue hasta la estación Juárez y bajó a los andenes solitarios.

Abrió el portafolios en busca de algo para leer mientras llegaba el metro. Encontró la única copia al carbón de LA FIESTA BRAVA. La rompió y la arrojó al basurero. Hacía calor en el túnel. De pronto lo bañó el aire desplazado por el convoy que se detuvo sin ruido. Subió, hizo otra vez el cambio en Balderas y tomó asiento en una banca individual.

Sólo había tres pasajeros adormilados. Andrés sacó del bolsillo el fajo de dólares, lo contempló un instante y lo guardó en el portafolios. En el cristal de la puerta miró su reflejo impreso por el juego entre la luz del interior y las tinieblas del túnel.

/ Cara de imbécil. / Si en la calle me topara conmigo mismo sentiría un infinito desprecio. / Cómo pude exponerme a una humillación de esta naturaleza. / Cómo voy a explicársela a Hilda. / Todo es siniestro. / Por qué no chocará el metro. / Quisiera morirme. /

Al ver que los tres hombres lo observaban, Andrés se dio cuenta de que había hablado casi en voz alta. Desvió la mirada y para ocuparse en algo, descorrió el cierre del portafolios y cambió de lugar los dólares.

Bajó en la estación Insurgentes. Los magnavoces anunciaban el último viaje de esa noche. Todas las puertas iban a cerrarse. De paso leyó una inscripción grabada a punta de compás sobre un anuncio de Coca-Cola: ASESINOS, NO OLVIDAMOS TLATELOLCO Y SAN COSME. / Debe decir: "*ni* San Cosme", / corrigió Andrés mientras avanzaba hacia la salida. Arrancó el tren que iba en dirección de Zaragoza. Antes de que el convoy adquiriera velocidad, Andrés advirtió entre los pasajeros del último vagón a un hombre de camisa verde y aspecto norteamericano.

El capitán Keller ya no alcanzó a escuchar el grito que se perdió en la boca del túnel. Andrés Quintana se apresuró a subir las escaleras en busca de aire libre. Al llegar a la superficie, con su única mano hábil empujó la puerta giratoria. No pudo ni siquiera abrir la boca cuando lo capturaron los tres hombres que estaban al acecho.

LA NOCHE OCULTA
(fragmento)
Sergio González Rodríguez

Sergio González Rodríguez (1950). Narrador, ensayista y periodista, quien ha hecho una radiografía del crimen en México y su relación con el poder a través de libros como *Huesos en el desierto* y *El hombre sin cabeza*. Sus novelas —entre las que se cuentan *La pandilla cósmica, El vuelo* e *Infecciosa*— destacan por resistirse a toda clasificación. Fue finalista del Premio Anagrama de Ensayo en 1992 por *El centauro en el paisaje*. Ha sido incluido como personaje en novelas de Javier Marías y Roberto Bolaño. Fue parte del mítico grupo de rock Enigma. *La noche oculta*, novela de la cual ofrecemos un fragmento, fue publicada por primera vez en 1990.

—¿Quién eres?

—Herbert.

Por enésima vez, la copa invertida se dirigía a las cartas que representaban el abecedario y los números del uno al diez, puestas en círculo a su alrededor. Silencioso, el cristal insistía en deletrear aquel nombre, bajo los dedos magnéticos de los participantes, y luego se inmovilizaba. Diótimo le había rogado a Jesús que invocara en su pensamiento al muerto célebre que quisiera. En la penumbra de la sala de sesiones, titilaba una lámpara votiva en un vaso purpurino que difundía rayos rosados. Además de los dos, se encontraban ahí la señora Peña y Clara, cuyo cuerpo y rostro, díscolos, se perdían en las sombras.

Los cuatro se tomaban de las manos y hacían una cadena. Jesús invocaba para sí y todos ponían el dedo índice de su mano derecha en la base de la copa. Jesús entendió al fin lo que quería decir la fórmula espírita de recurrir a "los vasos comunicantes": la copa se desplazaba, corría en zigzag y volvía al centro de la mesa; titubeaba entre carta y carta y alcanzaba la *H*, la *E*, la *R*: respondía así a las preguntas identificadoras; hizo una pauta y se negó a proseguir.

—¿Eres un espíritu? —repitió la señora Peña la otra pregunta canónica.

La copa dio un golpe, que significaba un "sí", de acuerdo al código estipulado; dos golpes eran una negativa.

—¿Cómo te llamas?, dijo Diótimo.

La copa avanzó y tocó ahora la *B*, la *E*, la *R*, la *T*.

—¿Bert? Ya la cagó el espíritu —musitó Jesús, intempestivo: pensaba en voz alta.

—No, por Dios, señor Vizcaya: los espíritus no se equivocan —amonestó Diótimo—, somos nosotros quienes fallamos. Fíjese bien: él ha vuelto a deletrear su nombre: Herbert, pero por algún motivo se niega a continuar y ahora lo indicó en dos partes: primero la *H*, la *E* y la *R*; después de una pausa, las otras cuatro letras. Usted pensó que comenzaba de nuevo con otro nombre.

La señora Peña, que se quejaba de frialdad en las piernas y taquicardia desde que se sentó, presumía que ella era muy buena en el trance de las invocaciones, un poco para darse valor, o disminuir a Jesús. Diótimo le suplicó que lo dejara en paz, que se concentrara en lugar de hablar, y agregó:

—Está claro el nombre del espíritu que usted invocó, señor Vizcaya, pero algo le impide explayarse desde el más allá. Esto ha sucedido antes: quizá haya otro espíritu que, al oír un nombre en el éter, desea manifestarse.

—¡Otro Herbert! —gritó Diótimo, triunfal; luego advirtió su entusiasmo inoportuno y calló; sacaba la lengua, niño jocoso bajo la furia paterna—. Es un caso de *sinonimia*: también se da entre los espíritus —susurró, ya serio y sibilino; su índice se elevaba de los labios al cielo, pedía un silencio litúrgico con esa mímica–. Invoque, invoque, señor Vizcaya.

Jesús sentía en las manos un cosquilleo de cansancio, pero accedió. Repitieron el procedimiento y la copa cobró vida, reconstruyó su deletreo, veloz y firme. Diótimo observó, satisfecho, la gresca y codazos entre fantasmas.

–¿Se dan cuenta?, es lo que yo decía. ¿Qué Herbert eres tú? –agregó Diótimo, en tono de travesura.

La copa se agitó, se movió en desorden y se detuvo.

–Están enojados los espíritus –dijo Diótimo–. Veamos: le preguntaré a alguno su oficio en vida –hizo la pregunta, esta vez la frente hacia arriba, solemne, los ojos en blanco.

La copa deletreó una palabra: escritor.

–Creo saber ya a quién invocó; no me lo diga, no me lo diga, señor Vizcaya. ¿Es usted americano? –preguntó Diótimo al espíritu.

La copa dio dos golpes.

–¿Es usted inglés?

La copa volvió a dar un golpe. Diótimo sonreía, orondo. Profesor de cátedra antigua que se dispusiera a dar el golpe maestro para iluminar a sus alumnos atónitos, respiró y su pecho se hinchó, globo de papel de seda:

–David Herbert –hizo una pausa teatral–, ¿es usted David Herbert?

La copa enloqueció, dio giros, se acercó al centro de la mesa y luego embistió las cartas, varias cayeron al piso. De las sombras surgió una carcajada burlona: era Clara que se había mantenido discreta y ahora estallaba, histérica y turbia. La señora Peña comenzó a rezar y Jesús se paralizó, la sangre congelada; el susto le descomponía el ánimo.

Diótimo le ordenó a Clara que callara. Compungido, rogó al espíritu comprensión y paciencia, y repitió:

−¿Quién eres?

La copa se movió, cauta, y deletreó: Wilfrid Herbert. Diótimo volteó a ver a Jesús y lo interpeló: "No es quien usted pensaba, ¿verdad?"

Jesús, perplejo, asintió. "¿Quién es Wilfrid Herbert, el escritor inglés que estuvo en México?" "No sé", respondió Jesús. La señora Peña casi entonaba letanías y la risa de Clara gorgoteaba, lenta, piedra que se sumerge en aguas muertas. Jesús la aborreció.

Diótimo pidió silencio y un último esfuerzo. Tomaron la copa y ésta comenzó a rozar las cartas alfabéticas antes de cualquier pregunta. Era difícil seguir el sentido preciso de las letras, la copa se movía libérrima. La señora Peña lucía una rara habilidad al precisar, casi prever el mensaje, las sílabas que formaban las palabras: las repetía en voz alta. Así evitaba que se perdiera el sentido íntegro que al final decía: "alguien de tu secta lo descubrirá". La copa descansó en el centro de la mesa.

Los cuatro comenzaron a repetir el mensaje, inquisitivos, sin saber a quién de ellos se refería el espíritu. Diótimo insistió: "¿te diriges a quien invocó esta noche?" La copa golpeó una vez, y Jesús levantó los hombros, confuso: "No sé quién es Wilfrid Herbert, yo invoqué a otro Herbert". Diótimo atajó: "Lo que atañe al espíritu nos desconcierta, pero es verdad"; se le veía altivo, reenvuelto en la capa de las esoterías. Las preguntas que le dirigieron a Wilfrid Herbert permanecieron sin respuesta, nada agregó sobre su identidad ni su vida. Después de otros intentos, desistieron. Estaban cansados y la señora Peña pidió permiso de retirarse, decía estar más tensa que de costumbre y prefería irse antes que entorpecer la invocación. Jesús quiso aprovechar la oportunidad, olvidar todo aquello, entregarse a las resignaciones y recriminaciones íntimas por haber reincidido en las cuerdas de Diótimo. Pero éste le tomó del hombro, le impidió levantarse y dijo:

–No me juzgue mal todavía. Después de esta noche quizá nos perderemos de vista, algo me lo dice –sus ojos casi se humedecían–. Deme unos minutos más, sólo unos cuantos, y le mostraré lo que apenas sospecha: la verdadera Voz de Luz.

–Está bien, sólo unos minutos –dijo Jesús, hosco: aceptar era la mejor escapatoria.

Diótimo se lo agradeció, y pidió a Clara que llevara a la señora Peña a la puerta. Éstas se levantaron, la lámpara se agitó y redujo sus irradiaciones. Jesús suspiró, vacío de sentimientos. Diótimo comentó: "Cambiaremos de método: basta de emplear la Ouija. Pensé que serviría, pero creo que el nerviosismo de la señora Peña arruinó el contacto. Ya verá de lo que es capaz Clara. ¿Me promete que esta vez sí dejará fluir las invocaciones?", hacía referencia al episodio de la primera sesión. Jesús asintió, sabía que ahora nada arriesgaba, era sencillo continuar hasta el fin. Hicieron abluciones en la palangana de plata y pasaron unos minutos en silencio: Diótimo retiró las cartas alfabéticas y la copa; se recogió: oraba o reposaba. Jesús se impacientó: "¿Tardará mucho Clara?" Diótimo respondió, sonámbulo: "Clara ya regresó". Jesús volteó, atisbó un bulto y saltó, asustado desde un impulso reflejo: era Clara. En el centro de la mesa descubrió un jarrito de barro con flores, de las llamadas pensamientos. No advirtió el momento en que Clara, al regresar, lo puso ahí. Diótimo le pidió a Jesús que tomara a Clara de las manos. El trance dependía de este apoyo, por ningún motivo debía soltarle las manos: sería muy peligroso para la médium, quizá mortífero, su cordón de plata se rompería en el viaje astral.

En las sombras, Jesús pudo entrever –mal, pero pudo entrever– que ella estaba sentada en dirección a la puerta de la sala. Se acercó, displicente, y sintió las manos de Clara, cadavéricas, que buscaban las suyas. Diótimo terminó de instruirlo: debía sentarse frente a ella y tocar con sus rodillas las de Clara. Así lo hizo. Diótimo permaneció en torno de la mesa. Se escuchó la tonada de la caja de música. Jesús advirtió en él la ya familiar calma cómplice. "Invoque usted", dijo Diótimo. El aroma de los pensamientos llenó la sala y Jesús se estremeció: las manos de Clara eran garfios; lejano, escuchó a Diótimo que le calmaba; "Relájese", decía. La respiración de Clara se aceleró, gemía y balbuceaba. Jesús recordó la plática que tuvo con Clara: ella le había dicho que no volverían a verse. Su reincidencia en Voz de Luz obedecía en parte a las ganas de violar esa certeza. Pero reparó en que, en efecto, durante poco más de dos horas, el cuerpo y rostro de Clara se habían resguardado en las sombras; concluyó que jamás la volvería a ver. Debía agradecerlo.

De los labios de Clara salían sílabas descompuestas y jadeos: sus manos, en cambio, seguían férreas, miembros artificiales de cuero y acero. Jesús pensó, quién sabe por qué, en el interior del vientre de ella: quiso evocar un saco de humores y secreciones y encontró la imagen de una vasija quirúrgica, carente de vida. Sintió repulsión y prefirió concentrarse en los sonidos que Clara emitía, idioma inaudito y temible, y de pronto seductor. Diótimo salmodiaba y Jesús creyó advertir un soplo de aire gélido en sus orejas. "Trance", anunció Diótimo. Se escuchó el ruido de algo indefinible, un resuello, un grito fisiológico que tenía un gramo de sollozo escalofriante al principio y concluía en un suspiro armónico. El ruido secreto, de nuevo el ruido fantasmal que Jesús ya había escuchado en la prueba anterior cuando se invocó a Talia.

Clara encontró la voz *mediúmnica* de un hombre que llevara consigo los cansancios de una raza. Se oyeron las palabras en tono incipiente, trémulo, y al fin limpio, dulzura terrosa. Jesús era un animal tenso, olfateaba y escudriñaba las sombras.

—¿Quién eres? —preguntó Diótimo.

—El hombre del ave Fénix. Herbert Lawrence. David Herbert Lawrence. Mi novela *La serpiente emplumada* es el mayor homenaje que un escritor de lengua inglesa ha rendido a México.

—¿Cómo era el México que usted conoció?

—La capital es ahora muy remota de la que yo conocí en marzo de 1923 —el mensaje fluía y resonaba en la sala—. En esa época, el presidente Obregón se había encolerizado por el reto de los católicos que agitaban al pueblo y desafiaban al gobierno triunfante. Se olía en el aire otra revolución, y Frieda y yo preferíamos ese riesgo a los asedios de Mabel Dodge en su finca de Taos —hubo una pausa y un asomo de flaqueza en labios de Clara—. Desde 1919, "Inglaterra me parecía un ataúd gris que flotaba en el mar entre vientos y nieve", y apenas supe de la muerte de mi amiga y cuentista Katherine Mansfield: ella dejó a su compañero Middleton Murry para residir, llena de esperanzas místicas, en el Instituto Gurdjieff de Fontainebleau. Yo tenía treinta y ocho años y me quedaban siete de vida. Recuerdo que le escribí a mi amigo Murry lo siguiente: "Estos últimos cuatro años han sido de un peregrinaje fiero", y añadí unas palabras en las que siempre he creído y un poco explican este encuentro con ustedes: "Los muertos nos cuidan y nos ayudan".

—Es él, es él, ¿verdad? No le suelte las manos a Clara —dijo Diótimo, cerca del sofoco—. Le preguntaré qué le impresionó de estas tierras —lo dijo, grave; parecía que oficiaba un responso de difuntos.

Jesús se asombró de la habilidad de Diótimo: había adivinado su invocación. ¿La había adivinado o fue él quien durante la visita previa dijo algo sobre Lawrence? El desconcierto se unió a su extrañeza. Clara gimió y guardó silencio. Diótimo insistió en la pregunta, aligeró la pomposidad. Jesús asistía, estupefacto; en sus rodillas, las rótulas de Clara semejaban los filos de una mesa de madera.

—Cuando Frieda y yo llegamos a México —reanudó el mensaje espírita—, no quisimos alojarnos en esos confortables, ruidosos y mecánicos hoteles para americanos. Buscábamos serenidad, por eso preferimos un pequeño hotel italiano de las calles de Uruguay: el Monte Carlo, que yo tomaría como modelo del San Remo en *La serpiente emplumada*. Ahí teníamos una alcoba sencilla, más aún, pobre, afín a mi cuerpo delgado, a mi duro cabello rojizo. Desde el balcón podía ver los volcanes Popocatépetl e Iztaccíhuatl.

—Y la gente, ¿de qué hablaba? —dijo Diótimo.

–¿La gente? Una tarde llegó a visitarme el presidente del PEN Club en México, Estrada creo que se llamaba, hombre culto y sensible, y charlamos de frutas, de un viaje a Oaxaca, de Nuevo México. Estrada comentó que mi barba es "cristiana", yo sonreí. En este país todos hablaban de Cristo, en las calles se oía y veía pintado en las paredes "¡Viva Cristo Rey!", las palabras talismán, como decir "¡Mañana, mañana, mañana…", "¡Vale!", "¡Viva la muerte!" Si supiera Estrada que la figura de Cristo me resulta antipática, en verdad odiosa: Cristo sólo enseñó a sufrir a la humanidad, la envileció. Por eso preferí siempre el culto solar de Quetzalcóatl.

Diótimo se removió en su silla y, al recargarse, estuvo a punto de tirar la mesa. No disimulaba su entusiasmo. Preguntó esta vez:

–¿Por qué Quetzalcóatl?

–Así, bajo este nombre mágico, quería publicar mi novela en cuyo borrador trabajé tres meses de 1923 y el invierno oaxaqueño de 1924 y 1925 para corregirlo –hice tres viajes a México en total. El editor se obstinó, al publicarla en 1926, en que se tradujera al inglés el significado de esa palabra que en sí lleva el estigma de una tierra de monolitos crueles, piedras en espiral como excrementos antediluvianos y con algo de cactus y magueyes eternos. Estrada me ofreció una cena de honor; lo único que recuerdo es al poeta mexicano Quintanilla, un brillante joven de veintitantos años que había conocido a Apollinaire en París.

Clara, o Lawrence, repitió esta última palabra, *París*, como si la pronunciara en inglés. Luego respiró, cansancio agónico que se diluyó en ronquidos de anciano.

—Vamos, pregúntele usted algo —incitó Diótimo a Jesús.

—No se me ocurre nada; por favor, no me pida eso —repuso Jesús, tímido.

Comenzó a sentirse ridículo.

—Usted lo invocó y ahora se niega a dirigirle la palabra —agregó Diótimo, un tanto molesto.

—Está bien. ¿Cómo se sintió en México? —en cuanto terminó la pregunta, le pareció estúpida, sobre todo su ademán de dirigirse a la vía láctea. Quiso oponer algo gracioso pero Diótimo lo silenció, pidió compostura entre gruñidos.

Clara salió de su letargo, chasqueó la lengua, suspiró y la voz volvió a resonar.

—La tuberculosis avanzaba en mis pulmones, mi temperamento cambiaba y los accesos de tos eran muy imprevistos y desgarradores —como si repitiera un eco del pasado, sonó una tos consuntiva y silbante que tenía un dejo de emulsiones y cripta—. Cuando el tiempo se fragmenta por un acceso de tos como aquéllos… aquéllos —se recuperó la voz—, nuestros vínculos con los demás se rompen. Vivía colérico y obstinado, por eso no quise aceptar, ni permití que Frieda lo hiciera, la invitación a hospedarnos en casa de Zelia Nuttal, la arqueóloga inglesa que vivía en Coyoacán. Años después León Trotsky viviría enfrente; ahí lo asesinaron.

—¿Cuál fue su peor experiencia? —adelantó Jesús, desinhibido.

—Los amigos se extrañaban de que Frieda y yo discutiéramos a gritos y nos dijéramos frases hirientes o insidiosas: era el modo de nuestra relación. Era normal vernos tomados de la mano, idos en contemplar la luna después de los exabruptos mutuos. "El ángel es la unión del alma de un hombre y de una mujer." Una vez, Witter Bynner y Willard Johnson –que nos habían acompañado– me oyeron gritarle a Frieda en el recibidor del hotel: "No te sientes con las piernas abiertas como si fueras una cualquiera". La compañía de ese par fue una calamidad: eran los típicos turistas en busca de espectáculos folclóricos, algo propio de su "ser americano": querían ver todo, aunque les enfermara. Fuimos a los toros y Frieda y yo soportamos cuando mucho diez minutos. La sucia carnicería y el público, ¡el público! –gritó la voz–, eran un mismo caldo indecente. Y los mexicanos agresivos y mal vestidos eran la cumbre de la barbarie. "Hay varias clases de complejos de inferioridad, pero el mexicano de la ciudad atesora uno que lo hace más agresivo cuando se siente provocado."

–¿Su novela…?

–Mi carácter empeoraba –continuó el mensaje sobre los intentos de Diótimo–, aunque no impidió que visitara Xochimilco, Puebla, Orizaba, Teotihuacán: ahí surgió la novela, ante las ruinas de las serpientes emplumadas. Sentí el hartazgo y el encanto agridulce, áspero y tierno que tiene México. De Orizaba volví con ganas de irme para siempre de allá, pero había una cita con el secretario de Educación Vasconcelos, el de la cruzada cultural y el patrocinio a los pintores muralistas, convulsos por odios y fe panfletaria que se enorgullecían de su pobreza intelectual: me parecieron siempre patéticos. Vasconcelos, de último momento, pospuso la cita, pretextó una urgencia política. Frieda y los otros aceptaron, pero yo me rehusé. Bynner creyó que estaba borracho y Frieda me lo reprochó, furiosa. Vasconcelos escribiría, cuando ya era un proscrito de la política, un triste *Ulises crio-*

llo que vivía de glorias pretéritas, que yo me había comportado aquella vez como un "idiota de segunda categoría". Quizá, pero no pudo evitar un comentario: mi novela es uno de los mejores libros de fantasía que se han escrito sobre México.

Jesús se admiraba de las dotes de Clara, cualquiera que fuera la naturaleza de éstas. Presenciaba un caso insólito de retentiva, de magia de feria, de mimetismo ocultista o, le dolió pensarlo, de verdadera índole paranormal. Rápido, apartó estos pensamientos, resabios racionales que comprometían el instante, su deleite y temor ante una vivencia única. El espíritu discurrió sobre literatura y metafísica, unía fragmentos declamatorios con palabras incongruentes. Por momentos, Clara parecía oír un diálogo lejanísimo y terciaba en lenguas extrañas. El contacto atravesaba por puntos muertos y luego amagaba sus regresos. La voz reverberaba, segura y en bien hilado discurso. Llevaba hacia otras profundidades las preguntas más anodinas. Jesús sólo recordaría una mínima parte de las disquisiciones, el firme influjo evocativo de la Voz de Luz y el calambre de sus manos sudorosas en el cerrojo de la médium.

—¿En qué sitio me sentí mejor? En Chapala, o en Oaxaca donde escribí *Mañanitas mexicanas*: "El sol brilla, brilla como de costumbre, como brilla durante todo el invierno. Es una delicia sentarse al aire libre y escribir". Estas líneas no logran, a pesar de mi esfuerzo, contagiar la honda vitalidad que exploré: fue algo que trascendía la suciedad, la holgazanería, la fiesta, las supersticiones, la esclavitud de la raza, la barbarie de esos hombres volcánicos que creen que "no hay placer sensual que iguale a la voluptuosidad de clavar el cuchillo y ver brotar la sangre de la herida".

–¿El rito del sol y de la sangre? –exclamó Diótimo, beligerante y entusiasta, como si entonara himnos guerreros, las bodas de Aztlán y de Dionisios.

–Padecí el ritmo intenso de su tierra –prosiguió el espíritu–; el paisaje habla de un más allá, de un orden cósmico que persiste contra todo. Sí: comparto el clima de la época de la Primera Guerra Mundial: acción, autoritarismo, culto por la sangre, disciplina y temple místico, pero de eso a ser un nazi, hay una vasta diferencia: la de los hechos históricos y no, como siempre creyó el tozudo de Bertrand Russell, la falsía de las especulaciones. Bernie llegó a escribir de mí: "Lawrence desarrolló toda la filosofía del fascismo antes que los políticos pensaran en ella", y añadió tiempo después otra calumnia: "La filosofía lawrenciana de la sangre fue una de las que condujo a Auschwitz". Russell nunca se repuso del pleito que tuvimos, creo que nunca hizo nada mejor que dar clases en Cambridge.

–¿Cree que sus libros son proféticos? –preguntó Diótimo, apresurado, se encimaba en las palabras de aquél, como si quisiera impedir que interrumpiera el tema.

–Mi impronta profética, según algunos críticos, arruinó mis novelas. Los críticos siempre que encuentran una vía de explicación que les parece totalizadora, quieren reducir a partir de ella la diversidad de una obra. Algunos han afirmado que mi madre tiene la culpa, y si la obviedad no bastara, insinúan un amor incestuoso nunca consumado. ¡Dios mío!, paciencia. Alguien que como yo aprendió de *madame* Blavatsky, Annie Besant, James Pryse no podía sino sentirse tentado a simpatizar con otras religiosidades: "amo los cielos precristianos, los planetas que se convirtieron en prisión de la conciencia, el año del zodiaco. Pero amo aún más lo preórfico, antes de que hubiera cualquier 'caída' del alma". Se me ha vinculado con las corrientes ocultas del misticismo hindú, con lo tántrico; incluso Sri Hurobindo sostuvo que yo era un ¡yogui extraviado!

Jesús conocía bien una de las explicaciones del trance espírita: el contacto mediúmnico, como la escritura automática, es producto de una lectura del inconsciente del o de los participantes, que entre todos construyen un ambiente fértil de ensueños, datos, contenidos verosímiles o maravillosos, corrientes eléctricas cuya clave permanece en suspenso por la falta de los voltímetros etéreos, las veletas sensorias de lo innombrable y las ramas profundas de los seres y las cosas. Jesús veía crecer su lucidez escéptica al mismo ritmo en que, centrífugas, crecían las densidades inconexas de lo que atestiguaba; sus defensas se derrumbaron.

De pronto levantó la vista y escudriñó un bulto que caminaba desde la noche a la sala, hacia él. Las preguntas de Diótimo a Lawrence no impidieron que Jesús descifrara en el rostro del bulto sus propias facciones de cuando tenía veinte años; bajo los vestigios de la lámpara, precisó su traje negro y la fuerza de los ojos plena de candor, la rabia convicta en la cavidad de sus pómulos, el cabello lustroso y la figura bella y esbelta: otro peso, otro tiempo, otra ficción esperanzada. Quiso preguntarle a ese primer plano de sí mismo qué deseaba, por qué venía ahora, pero sus palabras se disolvieron entre el paladar y la lengua, placebo inútil. Jesús entendió que vivía en una zona fronteriza en varios sentidos, de anacronías, círculos y prefiguraciones del porvenir, aridez de un paisaje salino y cielo de brumas, del que llegaban risas y gritos alegres y, entre ellos, a intervalos crueles, los jirones de un llanto agudo. Quiso rendir cuenta de sus fracasos, explicar las traiciones y las culpas, pedirle perdón a esa criatura de su pasado, pero antes de que lo consiguiera ésta desapareció como vino, en un aire de escombros.

Diótimo persistía, seguro en la naturalidad que prescriben las reglas espíritas:

—En alguna página usted escribió que "México tiene cierto enigma de belleza, como si los dioses estuvieran aquí".

—Sí… —la voz se escuchó quejumbrosa, buscaba en un pozo hondo—. Sostengo todavía esa opinión, pero si tuviera que escribirla de nuevo, lo diría con otras palabras: tanto han cambiado las cosas, si bien sólo en la superficie, porque "increado, creado a medias, su pueblo se halla a merced de las antiguas negras influencias que yacen en un sedimento profundo. Mientras está sereno, es manso y bondadoso, con una especie de diáfana ingenuidad. Pero cuando algo se agita en lo más hondo de su ser, las nubes negras se levantan y él se lanza de nuevo a las antiguas y crueles pasiones de muerte, sed de sangre y odio innato".

—Otros extranjeros han asegurado algo semejante…

—Lo sé, la literatura consiste en repetir a otros con una sonrisa; no negarán que así se crea una herencia cultural; lo mismo que mis impresiones mexicanas influyeron en muchos. Incluso mi buen amigo Aldous Huxley escribió un palimpsesto con mis ojos, y en cuanto caí en la tumba se hizo amante de Frieda. Él sufría porque la deseaba y al fin se entregó a un deseo que yo impedí en vida. No le guardo rencor.

–Pregunte usted –alentó Diótimo a Jesús.

–¿Quién es Wilfrid Herbert? –dijo Jesús, ante la sorpresa de Diótimo.

Clara se sacudió, sus manos temblaron y sus rodillas golpearon las de Jesús; recobró su voz diurna y, víctima de un sobresalto hiriente, repitió el nombre de Jesús dos veces. Diótimo se levantó y acercó su brazo derecho al hombro de Clara, que se tranquilizó. Jesús repitió la pregunta. De los labios de Clara salió una sola frase: "Armagedón, cuando Armagedón cae". Luego enmudeció durante un minuto. Jesús sintió cómo las manos de Clara se calentaron y enfriaron, termómetros confusos.

–Insista –opinó Diótimo, mientras le daba cuerda a la caja de música, que volvió a sonar.

La voz se apresuró a continuar, omitió la respuesta y recuperó el relato. Contó cuando Lawrence conoció Sonora y descubrió el lugar de su cuento "La mujer que huyó a caballo", de la pugna de civilizaciones en sus otros escritos mexicanos y de los equilibrios entre los extremos del sexo y la religión: "El mundo moderno llevó el sexo al submundo y al wc".

Diótimo preguntó si el sexo era una de las condenas del mundo de la urbe y de las masas. Lawrence respondió que sí; que él, por su parte, lo había vivido de otro modo. Y contó una anécdota: había estado en Oaxaca un 23 de diciembre: era la fiesta de los rábanos. Algunos artesanos tallaban en grandes rábanos unos hombrecitos con falo enorme. Dorothy Brett, una amiga, le compró uno y se lo llevó; él estaba enfermo y en cama. La costumbre local señala que el gesto es de amor. Luego se había pintado en un cuadro con un rábano ante varias mujeres –¡él, que propugnaba restaurar el culto fálico, sería impotente desde 1926! Semanas después, Frieda se encolerizó y echó entre gritos a Miss Brett.

Una calma densa adormeció la sala. Clara suspiró. La caja de música había callado, perdidiza, un poco antes. Jesús sintió el peso de un aliento agorero. Quiso aflojar sus manos y Clara reaccionó: sus uñas se clavaron en respuesta. Diótimo pidió al espíritu que contara algo más de sus recuerdos de México –quería impresionar a Jesús, que no abrigara dudas sobre el poder de la Voz de Luz.

–No refutaré –dijo la voz, entrecortada– el reproche que divulgó Huxley le hice a Frieda en mi agonía: "me has matado". Fue producto de la soledad del moribundo. Prefiero recordar el amor que ella me tenía: una noche en el sanatorio, mientras me hundía en el concierto de toses nocturnas, ese coro trágico que retrató Mann en *La montaña mágica*, se levantó la queja de una niñita francesa: "Mamá, mamá, sufro tanto". Al oírla, se fracturó la entereza de Frieda: lloró por primera vez, y dio gracias a Dios de que yo estuviera medio sordo.

Jesús volteó a ver el perfil semivisible de Diótimo, estaba fatigadísimo y sus brazos hormigueaban, deseaba terminar aquello. Advertida en una pausa, Clara soltó risitas burlonas que resonaron con eco de museo o cuarto mortuorio, y apretó las manos de aquél. Diótimo dio a entender que haría una última pregunta. Jesús se puso muy tenso.

–¿Hay un México mágico para los extranjeros?

–¿México? ¿Extranjeros?... –titubeó David Herbert Lawrence– ¿Qué es México? "México, vamos, es nada. Simplemente nada, sólo ese maldito vacío estúpido donde no estoy. Todavía no." Esto lo escribí en *Fénix*. ¿Saben ustedes por qué? Antes de morir quería volver a Nuevo México, así estaría para siempre en México sin estar en México, herido por las espinas de la incertidumbre y las paradojas de esa tierra de Quetzalcóatl que vibra en la luz como los altos volcanes. ¿Comprenden por qué? No, me temo que no comprenderían del todo. México es también una invención de Occidente, que lo necesita como el agua o como los sueños; esto no lo pueden evitar ustedes, es su condena dolorosa. Y a veces la nuestra: una cacería insensata tras el espíritu necesario –culpa y derrota alternas– nos lleva al mundo, y a México en especial; nosotros, los extranjeros, adoramos una sombra nómada que nos niega.

–¿Quién es Wilfrid Herbert? –aventuró Diótimo, ya de salida, palmeó en la mesa como si pusiera las fichas de una gran apuesta.

La voz carraspeó, sondeó entre quejumbres asmáticas y dijo:

–¿Wilfrid? ¿Herbert? Lo conocí en Inglaterra, un escritor joven y talentoso. Era más que una promesa literaria, así lo entendíamos quienes lo leímos. Un día vino a México y en el balcón de su hotel recibió un balazo en un ojo y murió al instante: los mexicanos acostumbraban celebrar el año nuevo con un hábito bárbaro: disparos de revólver al aire. En cuanto lo supe, comprendí que "ese país del sur es maléfico", su "historia es la de una tierra de muerte" –se detuvo la voz, Diótimo se revolvió en su silla–. Tres meses después de aquello, llegué a México a comprobarlo. Luego de morir, supe que mi amigo no había caído por la bala perdida de un salvaje sino que le disparó, en su cuarto, un íntimo suyo que encubrió así su crimen. Pero saberlo aquí no tiene sentido: todas las versiones son verdaderas. En cambio, lo que se cree en vida adquiere rango de verdad aunque sea mentira. Yo extraje mis libros mexicanos de aquel episodio, ¿se dan cuenta? "El pasado vuelto a evocar, asusta, y si se evoca para sorprender el presente, es diabólico." Es como el caso del asesino entre ustedes que… el asesino…

La voz se interrumpió; Clara quiso aspirar y sólo emitió toses de asfixia. Volvió a intentarlo y el gemido de angustia culminó en un aullido monstruoso: se oyó golpear su cabeza, metralla ciega, contra el respaldo de la silla. Una muchedumbre de miedos paralizó a Jesús. Diótimo gritó, asustado, y la parca luz se desvaneció. En la penumbra total se escuchó caer la caja de música, la palangana y el agua, la lámpara votiva y el mazo de cartas: el desorden irrumpía desde un cascarón corroído. Al levantarse, urgido por la asfixia de Clara, Diótimo había tropezado y caído, con él los enseres sobre el armario cercano. "¡Qué ha hecho, qué ha hecho!", gritaba Diótimo, y le ordenaba a Jesús que se largara.

A tientas, Jesús recogió su sombrero, alcanzó el interruptor de las luces de la sala y la abandonó de prisa. Sus pupilas heridas reaccionaron y bajó las escaleras, perdió el paso y cayó un par de escalones, se levantó y vio de nuevo a Clara entre las sombras: sus brazos se agitaron en aguas muertas y su boca hizo un rictus fúnebre cuando Jesús, en un esfuerzo supremo, le soltó las manos al oír aquellas palabras y ella quedó a la deriva de lo oculto.

VENIMOS DE LA TIERRA DE LOS MUERTOS

Rafael Pérez Gay

Rafael Pérez Gay (1957) ha combinado la narrativa con el periodismo literario. Sus lectores pueden seguirlo semanalmente en las páginas del diario *El Universal*; también sus artículos están reunidos en libros como *Diatriba de la vida cotidiana, No estamos para nadie* y *El corazón es un gitano*. Su novela *Nos acompañan los muertos* es un homenaje a la Ciudad de México y un relato sin concesiones sobre la decadencia de los padres. Dirige la editorial Cal y Arena y conduce el programa *La otra aventura* en Canal 40. Necaxista y futbolero recalcitrante, reunió sus crónicas del balompié en *Sonido local*. El cuento "Venimos de la tierra de los muertos" está incluido en el volumen *Paraísos duros de roer*, aparecido en 2006.

–La vida después de la muerte. Si lo dudas, ven a la casa de Tlalpan –en las palabras de Andrea Cisneros resonaba la fuerza destructiva de la fe.

No creo en la posibilidad de una segunda existencia más allá de este mundo, pero la frase me perturbó como si fuera un hecho comprobado en un laboratorio de fantasmas. La fe ciega quebranta al más plantado filósofo racionalista. Durante años, Andrea fue una coleccionista insaciable de vidas imposibles, buscadora arrebatada de mundos impracticables. Le entregó su juventud a las agitaciones de la izquierda y a sus ritos de paso. Defendió a capa y espada la revolución cubana y amó a un hombre de Pinar del Río que la abandonó; ejerció el proselitismo de la guerrilla latinoamericana y tuvo un novio nicaragüense, activista de la revolución sandinista; en solidaridad con los presos políticos, realizó secretas misiones sexuales con un montonero argentino; cuando los fulgores del año de 1968 eran brasas de aquel fuego mítico, aceptó ser la amante de un santón del movimiento estudiantil. Con reservas no del todo explícitas, simpatizó con la sublevación guerrillera del Ejército

Zapatista de Liberación Nacional y con el éxito insólito del subcomandante Marcos. Que yo sepa, no ha tenido un amante indígena: a Andrea le gustan los hombres urbanos, blancos, barbados, iluminados por la luz del heroísmo.

Cuando el crédito se agotó en el banco de las ideologías, Cisneros emigró al psicodrama, a la macrobiótica, a las experiencias místicas, a las creencias esotéricas. Esa cruzada por la fe construyó un gran obelisco en el centro de su vida. El alba del siglo XXI la sorprendió en la búsqueda de seres de otros tiempos perdidos en los pliegues de este mundo. Puestas así las cosas, no tenía por qué perturbarme que Andrea se refugiara en el último anhelo del ser humano: la búsqueda de la eternidad.

—Te da miedo lo desconocido —me definió con un trazo seco. Su voz fue más enfática—: Ven a la casa de Tlalpan.

Tenía razón, siempre me dio miedo la oscuridad del azar. A Cisneros y a mí nos unían los escombros de nuestros años de juventud. Las grandes causas nos habían abandonado durante el camino de nuestros años cuarenta. Ella se amparó en el pequeño fanatismo, cerca del obelisco de la fe. A mí simplemente me faltaron las fuerzas ciegas de la convicción. Insistió:

—El sábado nos reunimos. Te dejo la dirección —apuntó en una servilleta desechable la calle y número.

Antes de irse, se despidió con un beso y una caricia en la nuca, vagos ecos desprendidos del pasado de nuestra vida amorosa segada por la guadaña del fracaso. Alrededor de la dirección de la casa de Tlalpan dibujé en la servilleta líneas quebradas, flechas sin rumbo, una tormenta. Los fogonazos de alcohol me recordaron los días del cataclismo. Siempre llega el día en que ocurre un desastre interno, tarde o temprano. Fui al médico. Ordenó un análisis de laboratorio que tiene nombre de *performance* neoyorkino: Perfil 20. Imaginé una exposición en la Sexta Avenida con una veintena de los contornos de una roca arrancada por artistas de vanguardia a la energía mágica del Tepozteco. No se trataba de rocas sino de investigar los rincones del cuerpo humano, en este caso el mío, mediante una muestra sanguínea, una radiografía de pulmón y un electrocardiograma. Aparte había que llevar muestras de los detritus mañaneros, en ayunas, en dos frascos. Tomar estas exposiciones es una obra de romanos. Días después memoricé palabras y cifras del raro vocabulario de los hombres y las mujeres de nuestra edad. No son pocas: leucocitos, linfocitos, nitritos, glucosa, bilirrubina, plaquetas, antígeno prostático, colesterol, triglicéridos, ácido úrico. Antes hablábamos de noches de amor, bares, amistad, libros, droga, sexo.

El médico me mandó con un neurólogo, el neurólogo realizó diversas pruebas y me transfirió con un psiquiatra. Informo rápido: ahora le cuento historias a un analista y él, después de explorar el socavón del Ello, resume la vida en conceptos monumentales. Me roba seis o siete minutos por sesión. Sé por qué lo hace. Después de mi consulta toca su turno a una mujer delgada de pelo largo en rizos negros, ojos de aceituna y un cuerpo que amotinaría los deseos incluso de un psicoanalista. Los psiquiatras piensan que los pacientes somos estúpidos.

Los días siguientes al encuentro con Andrea los ocupé en la hemeroteca. He dedicado años de mi vida a una investigación sin fin sobre la prensa del siglo XIX. No he podido terminarla. Lo digo de una vez: un día la fuerza nos abandona. Algunos fingen fortalezas inagotables pero mienten: su único patrimonio es el vacío. Sumé tres mañanas leyendo *La Libertad*, el gran órgano del positivismo mexicano durante la dictadura de Porfirio Díaz. Copié artículos desconocidos de Justo y Santiago Sierra, Manuel Gutiérrez Nájera y Francisco Cosmes. Guardo archivos electrónicos con una cantidad considerable de exhumaciones. Los investigadores somos sepultureros, traficantes de huesos viejos salvados apenas por ese momento en que la materia del pasado se vuelve combustible para el presente. Los periódicos viejos guardan el imán inexplicable de las vidas perdidas en otros tiempos. Uno de los imanes me atrajo a dos noticias del mes de octubre de 1881. Mientras un buque fondeaba en Veracruz cargado de sueños europeos, pasajeros exhaustos de sol y tormentas marítimas, un escandaloso crimen había ocurrido en la Ciudad de México. Durante una sesión de espiritismo en una casa de la calle de Escalerilla, una mujer asesinó a un hombre: "Una médium poseída por seres indescifrables mata a un inocente". Tomé notas para el improbable libro por el que gané una de las becas que otorga el gobierno a escritores que lo engañan como yo. El viernes por la tarde cerré mi laptop protegido por la argucia del deber cumplido. La noche que cubría el exterior de la hemeroteca le daba un aire siniestro a los alrededores de la Ciudad Universitaria. En esa zona eran frecuentes los robos, los asaltos, las golpizas. Por sobre todas las cosas, de eso se trataba México en aquel tiempo. Dentro del coche metí la mano a la bolsa del saco para tomar un cigarrillo.

Dejar de fumar había sido otra de mis batallas perdidas. Anoté en un papel pegado a la cajetilla un número, la cantidad de cigarrillos que había fumado. Hasta ese momento había aspirado veinte. Un triunfo de la voluntad. Recordé la frase de Mark Twain: "Dejar de fumar es facilísimo, yo lo he hecho miles de veces". Junto con el paquete, mis dedos trajeron la servilleta con la dirección que apuntó Cisneros. La cita era el sábado a la seis de la tarde.

Esa noche me entregué a la libertad y al capricho. De regreso de la hemeroteca modifiqué el rumbo y me detuve en una cantina de la avenida Revolución. Bebí y fumé sin enjuiciarme. Mientras derrotaba al fiscal que nos vuelve la vida insoportable leí en el periódico noticias de incordios políticos, disputas electorales, actos de corrupción. Creer o no creer ocupaba el centro de la vida pública, como si la fe hubiera tomado el lugar de los acontecimientos verificables. Bien pensado, la fe siempre usurpa las funciones de los hechos. Más tarde revisé los archivos de mi computadora. En los últimos meses había logrado algunas páginas presentables acerca de las encrucijadas culturales de finales del XIX, el cambio de siglo visto a través de figuras como Tablada, Nervo, Couto, Leduc, Ceballos, Campos, algunos de los poetas y narradores de *Revista Moderna*, ese antro genial y no poco pretencioso de las letras mexicanas. Ellos despidieron al siglo XIX y recibieron el XX entre fantasías de burdel, sueños de ajenjo, relatos de suicidio y desafíos a la muerte.

El único tramo claro de mi vida en ese entonces lo ocupaba un contador inflexible que se había adueñado de mis años. Todo lo calculaba: los días, las horas, los cigarros, los whiskys, las calorías, los kilos, las páginas, los fracasos. El contador recaudaba cada noche sus impuestos. Seguí la huella de mi instinto y evadí las cifras. Me escapé del interventor y salí de la cantina festejando una liberación. Unas calles adelante entré en un hotel. Frecuenté hoteles de paso con Andrea Cisneros y en mis años locos con mujeres enredadas en la telaraña de mis mentiras. Me registré y subí a mi cuarto. Abrí el *Aviso Oportuno* de *El Universal* y leí: "Modelo edecán. Sinaloense. Elegante, personalidad, seducción excitante. Erótica, lencería, ligueros. Parejas, lesbianas. Soy independiente. 5603-2289. Pregunta por Abby".

Pregunté.

—Vi tu anuncio en el periódico.

Me interrumpió:

—Tengo los ojos aceitunados y treinta años. Mis medidas son 86, 59, 90; mi altura, uno setenta y tres Pelo largo y rubio, a media espalda. Mil doscientos pesos, dos horas, todos los contactos que quieras.

Debe ser la edad. En mi juventud nunca fui con putas, pero de un tiempo a esta parte empezaron a interesarme los encuentros rápidos liberados de la guillotina de los compromisos, lejos de los hundimientos irrevocables. Recibí en el cuarto a una mujer joven dispuesta a los fuegos breves, en la cúspide de sus veinte, de pelo en llamas amarillas, uno setenta de estatura y, en eso no había mentido, una mirada casi vegetal en distintos tonos de verde. Usaba un abrigo negro, ligero, un sombrero de fieltro, muy cerca del *flapper*, una blusa fucsia entallada, un pantalón negro y zapatos altos.

—¿Cómo te quieres llamar?

—Abby.

–¿Te gustó? –me preguntó mientras se desvestía.

–Me gustas –le respondí cuando empezamos a intercambiar nuestras sombras.

Alguna vez Tlalpan fue un lugar de fincas y casas de campo, huertas amplísimas, grandes jardines, largos y altos muros de adobe, calles solitarias abismadas en el silencio. Aquel territorio de roca volcánica y fuentes brotantes emergió del desastre. Las calamidades destruyen y crean regiones inimaginables. En esos días, por cierto, yo buscaba regiones devastadas en mí mismo. Todos buscamos esas regiones, pero les anticipo: es inútil.

El magma del Xitle sepultó a los pueblos cuicuilcas, los ríos desviaron su cauce bajo una capa de lava de ochenta metros. Mientras se enfriaba la superficie del pedregal, en las profundidades la lava seguía en movimiento. Los gases buscaron su propia salida formando enormes grietas que se convirtieron en cuevas. Las corrientes de agua trasminaron la piedra porosa en el fondo de la tierra y emanaron fuentes cristalinas, manantiales en el pedregal y entre el bosque. Un edén petrificado. Ése era el paisaje de Santa Úrsula, Peña Pobre, Fuentes Brotantes, Xitla. Con el paso del tiempo, donde hubo un cedral pusieron un campo de golf, donde brotaban aguas cristalinas crecieron edificios de interés social y basurales. A esto algunos le llaman progreso.

El tránsito en la avenida Tlalpan era un enjambre de hojalata hirviente. Inventé un atajo. Tengo manía por los atajos. Detrás del Estadio Azteca las calles me llevaron por callejones donde apenas avanzaba el coche entre los muros. En las esquinas se acumulaban montañas de basura y bandas de jóvenes pobres. A las seis y media de la tarde oscurecía. Cuando pasé frente a un cementerio y decidí que estaba perdido llegué a la esquina de las calles de Congreso y Galeana. Di vuelta en Congreso y estacioné el coche. Toqué en un portón de madera, bajo un gran farol, que unía dos muros altos de piedra y adobe. Pregunté:

—¿Andrea Cisneros?

—Lo están esperando —me dijo un hombre guiándome por un camino de baldosas que dividía un jardín sembrado de nísperos.

Caminé por el pasillo de una construcción del siglo XVIII cuya remodelación respetó los arcos coloniales, los pechos de paloma y los balcones. Un gran candelabro en el techo iluminaba la sala. De lejos vi a una niña en la habitación, pero cuando avancé unos pasos observé un rostro cruzado por el tiempo y unas manos pequeñas trabajadas por los años. Dos hombres y tres mujeres, Cisneros entre ellos, rodeaban a una enana sentada en un sillón de respaldo alto que la empequeñecía aún más. Hice mis cálculos mientras Andrea me presentaba como un estudioso del pasado mexicano. La enana se había enfundado en un vestido azul eléctrico, las piernas le colgaban del asiento y terminaban en unos botines negros lustrados con obsesión. Uno treinta de estatura.

—La verdad es un árbol con raíces —dijo la enana a través de una voz metálica, un sonido en litigio con la anatomía humana—. Cada uno tiene sus propios misterios y cada uno debe escribir su propia Biblia. La vida no es nada.

Me sublevé. Atravesar la ciudad cortando el tránsito intolerable de un sábado por la tarde para oír el sermón de una enana demagoga era un castigo inmerecido. Como si no lo supiéramos: lo único que no echa raíces es la verdad y la Biblia que todos escribimos termina como la otra, con una traición y un crimen. Por culpa de la enana destruí el plan del día. Fumé cinco cigarrillos en media hora. Aniela Long contó su historia.

Una noche de verano del año de 1954, cuando sus padres vivían y ella era una enana adolescente, alguien tocó la puerta. Tlalpan todavía conservaba los rasgos campestres que perdió con el crecimiento de la Ciudad de México. En la calle oscura retumbaron los aldabonazos urgentes en el portón. Aniela acompañó a su padre a la puerta. En el umbral aparecieron un hombre y una mujer envueltos en sombras. El hombre le dijo: "Venimos de la tierra de los muertos y no encontramos lo que buscábamos. Ayúdanos, Aniela". El señor Long cerró la puerta, pero el mensaje había sido depositado en el mundo de los vivos. Desde entonces Aniela Long supo que podía comunicarse con los muertos. El padre de la enana hizo sus primeras armas masónicas en la juventud e inició a su hija en la tradición masónica arcana. Hundida en el sillón, la enana contó esta historia salida de los metales de su voz:

–Los primeros francmasones eran los canteros que edificaron el Templo de Salomón en Jerusalén. Durante la construcción, algunos masones fueron iniciados en los misterios cósmicos relacionados con la geometría, las matemáticas y la alquimia. Cada piedra que utilizaban para construir el templo no era una piedra corriente sino una Piedra Filosofal. Ese conocimiento se transmitió de masón a masón a través de los siglos –continuó la enana–. Después de la noche de las sombras que regresaron de la tierra de los muertos, mi padre me llevó a una sesión espiritista. Ahí se reveló que yo era una médium muy dotada y supe que se puede ver más lejos cuando nos asomamos a la oscuridad desde la luz y no, como se cree, cuando vamos de la oscuridad hacia la luz. Lo primero revela, lo segundo deslumbra. ¿A qué hora empezamos?

La enana los tenía en un puño, suspendidos en el estupor. Según entendí, los dos matrimonios y Andrea se reunían sin excepción cada sábado en la casa de Tlalpan. Hice un plan de evasión: el baño, una disculpa y de nuevo a la ciudad. Andrea me esperó afuera del baño.

–Quédate a la sesión.

–¿Espíritus a mis años? Nos hablarán los muertos, nos van a explicar nuestras vidas pasadas. Me voy.

–Quédate por mí.

Me quedé.

Nos sentamos alrededor de una mesa redonda de madera en un salón dedicado a las sesiones espíritas. La enana colocó un vaso con agua en el centro de la mesa. La luz en penumbras hacía visible la oscuridad y le disputaba cada rincón a las tinieblas. La enana nos ordenó que colocáramos las manos suavemente sobre la mesa y que nos rozáramos con las yemas de los dedos. Mi lugar estaba entre Andrea y un hombre a quien conocí durante sus años militantes en uno de nuestros partidos de izquierda, un hombre ornado con el estandarte de las creencias.

Al cabo de unos minutos de silencio, el agua del vaso se movió, primero con suavidad, luego como si alguien sacudiera el vaso, se formó una figura líquida en la madera.

Busqué la trampa, pero lo que vino después me impidió descubrir la mano espírita que agitaba el agua. La enana tragaba saliva, emitía sonidos animales. Empezó a hablar:

–Uno de ellos morirá pronto –dijo con una voz grave, una tonalidad distinta a la que habíamos oído minutos antes–. Un hotel, una mujer de la noche: que se perdone a sí mismo.

–¿Quién nos visita? –preguntó Andrea.

–El más joven de ellos morirá.

–¿Quién nos visita? –insistió, pero no hubo respuesta.

La enana tosía, se atragantaba con su propia saliva, le faltaba el aire. El trance la desvaneció. Andrea y el comunista espírita la cargaron y la recostaron en un sillón de la sala. Aniela parpadeaba. Recuperada la voz metálica contó un extraño cuento acerca de los espíritus que encontró durante el trance, siete sombras en una casa iluminada por velas.

–Siete hombres reunidos alrededor de una mesa. Uno de ellos me ofreció flores, pero otro fue hostil y agresivo. Tenía miedo –dijo Aniela desorientada, perdida en el tiempo–. Nos entregan un mensaje.

Presencié esta escena atrás del grupo que la rodeaba y retuve la imagen con las tenazas de la incredulidad. Andrea Cisneros me tomó del brazo y me dijo en voz baja, al oído:

–Necesito un trago –más que oírla sentí el calor de su aliento en el cuello.

Regresamos por el camino de baldosas flanqueado por nísperos. Acompañé a Cisneros a su coche y caminé hacia el mío. Ella preguntó:

—¿En qué bar?

—En el de tu casa —sugerí—. Dos tragos, no más —habló el contador.

La calle creaba efectos fantasmales. Sombras de árboles proyectadas en los muros de adobe, ruidos inexplicables: un gato inmortal atravesó la noche de Tlalpan. Prendí un cigarro aceptando que había sobrepasado el límite, "Enana de mierda", pensé cuando encendí el motor. Desde luego, nadie en esa casa sabía del hotel y de la prostituta, sólo yo, si acaso.

A vuelta de rueda en Insurgentes. Una línea dorada, inmóvil, hasta el edificio en que Andrea puso su casa después de nuestra separación, un departamento en la calle Xola. Tardé en llegar más de lo estimado. Lo supe porque, según el interventor, en el coche fumé cuatro cigarrillos durante el viaje.

—Te perdiste otra vez —afirmó Andrea entregándome un whisky.

—Menos que los extraviados en el mundo de los espíritus —respondí a punto de dar el primer sorbo.

—¿Lo dudas? Aniela se comunica con los muertos, espíritus incansables que vagan entre nosotros —de nuevo la fuerza destructiva de la fe en sus palabras.

—El único espíritu que vi fue el de una enana histérica, una charlatana de manicomio, llévenla al psiquiatra y enciérrenla con una chambrita de fuerza.

—¿Con quién? ¿Con Armijo? Te has convertido en una copia al carbón de tu psicoanalista. Creen que con fármacos y diván se acaba con otras realidades. Como sea, le ayudará más a ella que a ti. Tú eres un caso perdido.

Tenía razón. Me bebí el whisky de tres sorbos y me serví el siguiente, doble. Encendí el cigarrillo número treinta y cinco del día, de nuevo el contador me acompañaba.

—¿De verdad crees en la vida después de la muerte?

—Los he oído y los he visto. Tú fuiste testigo.

—Oí a una enana hablar con la voz de un viejo, una duplicación de la personalidad, nada más.

—Oíste una voz de otro tiempo que hizo contacto con nosotros.

Ella bebía brandy y repetía de memoria creencias infiltradas en sus desengaños. La necesidad de creer en la penumbra del más allá se convirtió en una nueva misión. Como no había cambiado al mundo en su juventud, Andrea decidió mudarse a otros mundos menos miserables que el nuestro. No hay fanatismo sin doctrina. El círculo espírita de la casa de Tlalpan se había acercado a maestros del misticismo cristiano como Eckhart o Nicolás de Cusa, algunos textos recuperados de la teología espiritista del visionario sueco Emanuel Swedenborg, tratados de ocultismo, mesmerismo y las invocaciones de Allan Kardec.

El grupo de Tlalpan consideraba la existencia del alma humana y su supervivencia después de la muerte un asunto que requería respuestas. Aniela Long era una de ellas. Todos ellos consideraban a la enana una médium ajena a las limitaciones temporales, al espacio tridimensional. Para ponerle tierra firme a sus especulaciones leían a J. C. Zoellner, un investigador psíquico que sostuvo desde 1879 hasta el día de su muerte la existencia de una cuarta dimensión de la realidad; en ese lugar habitaban seres capaces de adentrarse en nuestro mundo. Éstas eran las pruebas, el respaldo de la teoría de la supervivencia post mórtem o la verdad de otras realidades al margen de la nuestra. Este poderoso brebaje los había narcotizado.

—Aniela es capaz de ver los espíritus de los muertos. Ha tenido visiones que presagian la muerte. En una ocasión vio la imagen de un féretro donde yacía su madre. Dos meses después murió —había una sincera conmoción en sus palabras, un anhelo triste de verosimilitud y eternidad. Andrea fue más allá—: Algunas veces Aniela ve fantasmas detrás de las personas de las que está cerca. Muchas veces son fuerzas protectoras.

Guardé silencio. Ya dije que dialogar con la fe de los otros es imposible. Acepté que sus dudas sobre la vida y la muerte eran, por desquiciadas que sonaran, legítimas. Muchas veces la legitimidad crece en la locura. Cuando me despedí, Andrea me desafió:

—Vamos el próximo sábado.

No respondí, en parte porque estaba haciendo las cuentas de la noche: ocho whiskys, cuarenta y cinco cigarrillos, tres horas. El contador nunca descansaba.

Esa noche soñé con mi muerte. Desperté ahogándome con mi propia saliva. Pasé el resto de la noche fumando, entregado a los misterios de la sesión de esa tarde y al vaticinio de la enana. Repetí la frase: "Uno de ellos morirá pronto. Dejen que se perdone".

A la mañana siguiente marqué el número de mi analista, pero Armijo no contestó el teléfono. Cuando uno los necesita, los psicoanalistas desaparecen. Por eso recurrí a mi amigo Ernesto Carmona, un colega mayor al que quise por su facilidad para construir mundos propios e irrepetibles:

—¿Crees en la vida después de la muerte?

—¿Estás borracho?

—De verdad. ¿Crees en algo más allá de la vida?

—De momento, no.

Me invitó a comer ese día. Me prometió una plática sobre la muerte. Cuando llegué, su casa era una jaula de pájaros. Dos o tres políticos en el candelero, un escritor que gastaba las suelas en cocteles y se apuntaba a todos los premios literarios, mujeres a la caza de un porvenir renombrado, en fin, una desgracia de la que Carmona se sentía orgulloso mientras renovaba el tiempo de gloria de sus compañeros del año de 1968. Fijé una frontera con el hacha de las opiniones irreversibles: la generación de la libertad estaba formada por los hombres menos libres que he conocido. Adoradores de la fama, propia y ajena, atados al potro del prestigio, buscadores inauditos de poder, complacientes con políticos truhanes, sumisos con los caciques de la cultura. En eso terminó la epopeya de sus años juveniles, en el cautiverio de la ambición desaforada, en la codicia oculta tras sus banderas de pioneros demócratas. Cuando salí de la casa de Carmona, la frase de la enana regresó: "El más joven de ellos morirá".

Sonó mi teléfono celular. Andrea Cisneros:

—¿Vendrás el sábado?

—¿Qué edad tienen los que van con Aniela?

—¿A quién le importa?

—A mí. ¿Son de mi generación?

—Todos son mayores que tú, incluyéndome, por seis meses, ¿o ya te olvidaste también de mi fecha de nacimiento? ¿Vienes o no?

—Voy.

La tarde húmeda del 6 de mayo de aquel año, el círculo espiritista se reunió de nuevo en la casa de Tlalpan. Andrea y yo llegamos en el mismo coche y atravesamos juntos el camino de baldosas que dividía el jardín sembrado de nísperos. En la sala nos esperaban la enana y cuatro espiritistas. Cuando saludé a Aniela Long, me dijo:

—Si no quiere, no tiene por qué estar aquí. La vida no es nada.

Si hubiera tenido un espejo enfrente habría visto una sonrisa quebrada y estúpida dibujada en mi cara de asombro. La enana me había derrotado de nuevo antes de empezar la sesión.

—Me interesa lo que ocurrirá aquí esta tarde —me disculpé, pero ella me dio la espalda para hablar con el viejo comunista espírita.

Por segunda vez, Aniela Long me alteraba. Al menos había una posibilidad entre mil de que por algún medio, conocido o desconocido, supiera de mi encierro en el hotel con una puta. De ser así, entonces en la puerta tocaba el vaticinio de mi muerte. Por lo demás, alguien le dijo o ella percibió desde la primera vez mis sospechas de la mentira en que se fundaba el teatro espírita.

—Pasemos —dijo la enana encabezando una fila silenciosa de siete creyentes.

Nos sentamos alrededor de la mesa de madera. Pusieron dos vasos de agua en vez de uno. La habitación estaba más oscura que la vez anterior. Un juego de sombras reflejaba en el muro formas indescifrables desprendidas de las llamas de dos velas puestas en una repisa de madera labrada. La enana dio la orden. Nos tocamos con suavidad las yemas de los dedos. Durante tres minutos, el silencio fue la única señal del otro mundo.

—Pedimos con respeto la asistencia de los seres que traen un mensaje para esta casa —se oyó la voz metálica de Aniela.

Nadie respondió.

—En esta casa son bien recibidos —insistió la enana.

Un minuto después el agua de los vasos se movió como sacudida por una mano invisible, la enana se contorsionó sobre la silla. Habló con la voz grave de un hombre:

—¿Qué quieren de nosotros?

Cisneros tomó la palabra:

—Un mensaje y la paz eterna para ustedes.

—Vienen de la tierra de los muertos. ¿Cuándo murieron? —preguntó alguien a través de la voz ronca de Aniela.

—No hemos muerto. Aún estamos aquí —respondió Andrea.

La enana tosía, tragaba saliva y movía la cabeza hacia atrás.

—¿Quiénes son ustedes? —preguntó Andrea con la voz cortada por el asombro.

—Somos artistas y ustedes nos visitan —Aniela tosía mientras hablaba—. Hemos desafiado a la muerte y a la eternidad con el exceso perpetuo: ¿su visita es una advertencia?

Necesitaba un cigarrillo, ese día había fumado dieciocho. Siempre que me siento confundido me dan ganas de fumar. Andrea interrumpió mi deseo:

—¿En dónde están?

—En San Agustín de las Cuevas. Buscamos a Bernardo en el olor de los nísperos. ¿Ustedes cuándo murieron? —insistió la voz del hombre a través de Aniela.

—No estamos muertos —apenas se oía la voz de Cisneros en las sombras.

—Nos hemos reunido para invocar a Bernardo y pedirle que descanse en paz.

—¿Quién es Bernardo?

—El más joven de nosotros. Lo perdimos y ahora invocamos su alma para el descanso y el perdón.

—¿Quién es Bernardo? —la voz de Andrea recurría al énfasis inútil del eco.

—El más joven de nosotros. Ustedes, ¿cuándo murieron?

Se oyó un golpe seco en la mesa y luego un silencio oscuro.

La enana tardó en regresar del trance. Le dieron un té de hierbas preparadas. En la casa de Tlalpan también creían en la herbolaria; según ellos, en la antigüedad los mexicanos eran sabios. Los espíritas se arrebataban la palabra. Andrea preguntó:

—¿Quién vino esta noche?

Aniela tragó el menjunje y dijo con una voz que atravesó el espejo opaco de la verdad:

—Nadie nos visitó esta noche. Nosotros hicimos la visita y asistimos a otro lugar y a otro tiempo. Han ocurrido dos sesiones espíritas al mismo tiempo. Hemos sido nosotros quienes llevamos un mensaje de muerte.

—¿Quién es Bernardo? —preguntó Andrea.

—No lo sé —respondió Aniela antes de sorber el bebistrajo de hierbas ancestrales—. Estuvimos fuera del tiempo, no por encima, sino dentro, entre lo antiguo y lo nuevo.

Encendí el cigarrillo número diecinueve. En materia de voluntad, el mejor día de la semana, el contador me habría felicitado. La enana había ofendido mi incredulidad, como cuando un agnóstico recibe una prueba del absoluto.

Después de esa tarde de mayo, no regresé a la casa de Tlalpan. Me reintegré a la rutina de los archivos y a los sueños nocturnos de principios del siglo xx. La verdad saltó de una pila de documentos roídos por el tiempo, a punto de perder la memoria. Se trataba de una carta de Ciro Ceballos a José Juan Tablada, pensionado entonces en Japón por el mecenas Jesús Luján. La mano de Ceballos fechó esas líneas el 6 de mayo de 1901. El vago azar o las precisas leyes, como quería el clásico, me pusieron en el centro de la trama; la caligrafía irregular decía:

> Hemos perdido a Coutito. Lo enterramos hace una semana en el panteón francés. Al tercer día de su muerte nos reunimos a invocar su espíritu perdido bajo la luna tramontana de San Agustín de las Cuevas. A la sesión espírita asistimos Luján, Leduc, Campos, Valenzuela, yo y una médium que nos presentó Alfredo Ramos Martínez. A la luz de las velas invocamos a Coutito. Aunque te sé descreído te lo cuento: en algún momento de la sesión un fuerte olor a nísperos inundó el salón. Buscando el espíritu de nuestro amigo dimos con la voz de otros muertos. Una mujer desdichada nos preguntó por el momento de nuestra muerte. Nos erizó la piel la idea de que en verdad estuviéramos muertos. No hay fantasmas más tristes que los que se niegan a abandonar el reino de los vivos. Así les pasaba a estas almas en pena que encontramos mientras buscábamos a Bernardo, sombras aferradas a la tinta neutra de la vida y sus desgracias…

Lo supe de golpe, como cuando llega una revelación. Entendí entonces la grieta del tiempo en la que habíamos caído. En el momento en que oí el diminutivo, Coutito, agregué en mi mente el nombre: Bernardo, una leyenda negra de las letras mexicanas. El joven Couto era un desastre insufrible de alcoholismo y pedantería juveniles. Envenenado por Laforgue, Baudelaire, Verlaine, desde los diecisiete años el escritor maldito despeñó su vida en bares y prostíbulos. Algunos investigadores han visto en él a una víctima de la bohemia. En lo personal, siempre me pareció un sonso sin oficio ni beneficio. Couto vivía en el Hotel del Moro con Amparo, una prostituta recobrada de los burdeles en el alba del xx en la Ciudad de México. Dilapidaban la noche en tugurios inconcebibles. Se sentía el príncipe de los amaneceres, pero deambulaba por la calle de Santa Isabel como un vagabundo. En sus últimos meses lo torturó el dolor en las encías partidas por la piorrea. El exceso de bromuro lo convirtió en un amnésico perdido. Y con todo, les hacía gracia a sus amigos artistas, al fin y al cabo era uno de los fundadores de *Revista Moderna*. Murió de una pulmonía fulminante el 3 de mayo de 1901, a los veintidós años de edad.

La reunión en la casa de Tlalpan sucedió el 6 de mayo del año 2001, cien años y tres días después de la muerte de Couto. Tendido en el ataúd, Bernardo recibió la visita de Alberto Leduc, Rubén Campos, Pablo Escalante Palma y Ciro Ceballos. Ninguno de los espíritas de este lado del mundo conocía esta historia, no tenían por qué conocer esta intriga inútil del tiempo en que se levantaba el telón del nuevo siglo. Me llevé conmigo el secreto. Pude revelárselo a Cisneros, pero preferí no hacerlo. Aquel día, después de la sesión, Andrea y yo caminamos por el jardín antes de atravesar el portón de madera empotrado en los muros de piedra y adobe. Más tarde la despedí en el edificio de Xola. Me fui a beber solo y a poner en orden la trama enloquecida a la que me arrastró Andrea.

En la cantina de avenida Revolución dije en voz alta:

—Enana de mierda.

Me había bebido ocho whiskys y fumado veinte cigarrillos en dos horas. Todo un récord. El interventor estaba sentado frente a mí. Siempre he sido un egoísta, a nadie le revelé los datos de esta historia. Estoy mintiendo, se la conté a Armijo, pero los analistas están programados para no creer en nada. Salí a la noche sucia de avenida Revolución y caminé al hotel. Cuando me registré pensé sin rencor en Andrea Cisneros. No era la primera vez que dejaba una puerta abierta hacia la oscuridad. Les digo de nuevo: todas las enanas son una mierda.

LA NOCHE DE LA COATLICUE
Mauricio Molina

Mauricio Molina (1959) es un narrador que ha cultivado con devoción el género fantástico. En sus ficciones lo mismo aparecen dioses aztecas que mujeres que imitan el comportamiento de la Mantis Religiosa. Obtuvo el Premio Nacional de Cuento San Luis Potosí por *Fábula rasa* en el año 2000. En 1991 ganó el Premio Nacional de Novela José Rubén Romero con *Tiempo lunar*. Es editor de la *Revista de la Universidad de México*. El Fondo de Cultura Económica publicó en 2012 una antología que abarca 20 años de su trabajo como cuentista, titulada *La trama secreta*, de donde hemos extraído "La noche de la Coatlicue".

> Creo que mi lugar está con los dioses derrotados y
> conquistados. Dioses que fueron arrojados a
> las profundidades más recónditas por su propia
> naturaleza, negando aquello que los caracteriza.
> Aquellos que siguen a estos dioses no tienen nada
> que temer: pueden sobrevivir porque la victoria se
> gana siempre en la derrota.
>
> Masahiko Shimada
> *Diario mexicano*

Lo conocí en una vieja cantina del Centro. Era uno de tantos parroquianos, de esos que pasaban, se quedaban un par de tragos y luego se marchaban. Al verlo así, con su trajecito luido, brilloso por el uso, sus zapatos baratos y su viejo portafolios de piel descascarada, nadie se podría imaginar que era poseedor de un secreto, ni mucho menos, por supuesto, que hubiera vivido tantos años. Cetrino, enjuto, de fuertes rasgos indígenas, siempre frente a sus inevitables tequila y cerveza, el licenciado Borunda era todo menos un ser mitológico de esos que parecen provenir del sueño o de la pesadilla. Y sin embargo comenzaré diciendo que era la personificación misma de todo aquello que se ocultaba debajo de la Ciudad de México, en el antiguo lago fósil que durante la temporada de lluvias, año con año, amenaza siempre con regresar.

Nos hicimos amigos o cómplices a partir de la frecuentación de la misma cantina, Los viejos tiempos, ubicada en la esquina de la Plaza de Santo Domingo, a un lado de donde antaño estuvo instalada la Inquisición, frente a los puestos donde los evangelistas escribían cartas para familias lejanas, falsificaban títulos y pasaportes o hacían tarjetas de presentación e invitaciones a fiestas de quince años, casamientos o funerales.

Borunda trabajaba en el Archivo Muerto de la Secretaría de Hacienda, a un lado del templo de Santo Tomás, cerca de donde alguna vez estuvo la Biblioteca Nacional. Vivía en la calle de Regina en un viejo departamento de renta congelada. Su vida al parecer era simple. Un alcoholismo suave, tranquilo, casi indiferente, le permitía vivir sus días con decoro e incluso con alguna dignidad: al estar sumido en aquel estado de intoxicación permanente era como si un sonámbulo o un ser de otro mundo o de otro tiempo estuviera hablando frente a uno. Esta despersonalización era el signo fundamental de su carácter.

En muchas de nuestras pláticas, a las que a menudo se sumaban un librero de viejo de la calle de Palma y un profesor de preparatoria jubilado, abundaban los temas del esoterismo mexicano: la identidad de secreta de la Virgen de Guadalupe, la existencia de sectas que todavía, a principios del siglo XXI, veneraban a Tláloc y Huichilobos, y que, se decía, llevaban a cabo sacrificios humanos. A menudo discutíamos si Quetzalcóatl y Xólotl, los dioses gemelos que representaban a Venus en el crepúsculo y al amanecer, eran la misma deidad, si el panteón azteca no era sino una sola entidad dispersa en múltiples facetas, como ocurría con el hinduismo, o si se trataba de innumerables deidades menores cuya multiplicación incontrolada estaba sujeta a los caprichos de un rico imaginario colectivo que se manifestaba, aún hoy, con el culto a multitud de santos.

Todo esto transcurría entre tequilas, cantantes de boleros y, sobre todo, con la compañía de la inevitable presencia de Lupita, la mesera de la cantina que, allá por los tiempos en que los tranvías aún cruzaban la ciudad, había sido su querida, una desdichada prostituta de Peralvillo que habitaba lo que Borunda llamaba "los labios de la tierra", aludiendo a lo que antaño había sido la orilla del lago fósil, frente a Tlatelolco.

Una tarde, mientras conversábamos, al calor de los tequilas, me confesó su secreto. Era un lunes, lo recuerdo bien porque no había nadie en la cantina. Borunda y yo éramos los dos únicos comensales y ya había pasado la hora de comer. Llovía a cántaros sobre la ciudad. Ríos de lodo corrían a los lados de la calle. Esporádicos relámpagos rasgaban el lento atardecer.

—Estoy tan cansado —dijo mirando hacia los ventanales opacos donde la lluvia se agolpaba como un molusco tratando de entrar— ...a veces todavía me parece oler las aguas estancadas del viejo lago y me parece que la Santa Inquisición sigue existiendo. ¿Sabe usted?, llevo vagando en estas calles más de doscientos años.

Le eché una mirada burlona pero no me atreví a contradecirlo. Algo en su silencio logró ponerme muy incómodo. ¿Qué podía decirle? El alcohol, pensé, ya había hecho su trabajo. Aún así, después de dejar pasar algunos minutos y de darle un par de tragos a mi tequila, algo me impulsó a preguntarle:

—¿Y ha cambiado mucho la ciudad desde entonces?

—Sólo le pido que no se burle y a las pruebas me remito —respondió tajante.

Llamó a Lupita y cuando la tuvo enfrente la miró a los ojos y le preguntó:

—Lupe, a ver, ¿desde cuándo me conoces?

Lupita lo miró con la sorpresa de alguien que está revelando un secreto largamente compartido. Después de guardar silencio unos instantes, sopesando su respuesta, dijo con resignación:

—Desde hace como cuarenta años. Yo tenía dieciséis.

—¿Y qué ha pasado desde entonces?

—Que sigues siendo el mismo viejo... Tú no te puedes morir.

Después de mirarlo con resentimiento, Lupita se dio vuelta y pensé en lo horrible que sería, de ser verdad, vivir cerca de una persona para la que no pasa el tiempo.

Como si me estuviera leyendo el pensamiento, Borunda me contó cómo había conocido a la Lupita, una huérfana abandonada que se dedicaba a vender su cuerpo en una época en que a nadie le importaba la pornografía o la prostitución infantil. Se la llevó a vivir a una vecindad de Peralvillo y fueron felices a su manera pobre y tosca. Tuvieron un hijo que nació con malformaciones y que murió antes de cumplir un año. Dos nacimientos trágicos más y un embarazo que terminó en una histerectomía acabaron con la juventud de Lupita. Un día ella lo dejó sin decirle nada, pero vivir en el Centro era una condena. Meses después, Borunda se la encontró por el rumbo de la Merced ofreciéndose por unos pesos. Borunda se hizo su cliente regular, pero ella se negó a regresar con él. La imposibilidad de envejecer de Borunda la abrumaba. Él la amaba, según me confesó, como nunca lo había hecho antes.

–Tuvieron que pasar más de ciento cincuenta años para encontrar a quién amar… ¿No le parece terrible?

Sería el alcohol o el hecho de que afuera llovía a cántaros y que en realidad yo no tenía nada qué hacer en mi departamento de Tlatelolco, no lo sé: el hecho es que algo me hizo quedarme a escuchar la historia de Borunda, y si bien su edad era de suyo algo fantástico, lo que vendría habría de ser aún más increíble. He aquí su relato:

"Hace doscientos años, en 1790, aquí, muy cerca en el Zócalo, se encontraron dos piedras: una era el Calendario Azteca y la otra, monstruosa, era la Coatlicue. Muy cerca de ellas, en el centro de la Plaza, fueron hallados también –y en esto los historiadores siempre se equivocan al omitirlo en las crónicas– un altar de sacrificios con los huesos de un animal enorme que parecía corresponder a un felino o un reptil, que se perdieron por la superstición o el horror que causaron los hallazgos entre las autoridades virreinales y el pueblo.

"En tropel, la gente acudía a verlas, unos para venerarlas y otros para escupirlas y deshonrarlas. Las viejas creencias habían regresado. Yo acudí a verlas muchas veces. En aquellos tiempos trabajaba en la Real Aduana, justo aquí enfrente –dijo señalando hacia los ventanales de la cantina–, pero en mis ratos libres, que por fortuna eran muchos, me dedicaba a leer antiguos manuscritos y otros documentos, de los que ahora llaman códices. Por aquel entonces tenía apenas cuarenta años y sabía interpretar el náhuatl con las habilidades de un tlacuilo. Lo hablaba a la perfección porque mis ancestros eran, por el lado de mi madre, de origen náhuatl y por el de mi padre éramos otomíes. Ambos provenían de familias muy antiguas y contaban con algún dinero, por lo que pude asistir al Colegio de Santiago Tlatelolco, muy cerca de donde vive usted. Así fue como aprendí a escribir en tres lenguas y al final el español me eligió como su hablante, pero para dominar una lengua que no es la de uno se necesitan varias vidas, lo mismo que tuvieron que pasar generaciones para los españoles pudieran entender la lengua de mis ancestros.

"Dejo esta breve digresión para continuar mi relato acerca de las piedras. Interpretar el calendario azteca o *Tonalámatl* no representaba ningún problema: era evidente, y esto hasta los inquisidores lo sabían, que se trataba de una especie de reloj de piedra: la manera en que los antiguos repartían el año para hacer sus fiestas y conmemoraciones, para medir el tiempo de la cosecha y de la siembra, para saber cuándo llegaría Tláloc y cuándo Quetzalcóatl. También, se marcaban ahí puntualmente el tiempo y la manera de las ofrendas. Frente al *Tonalámatl* y sobre la piedra de los sacrificios se sacaba el corazón de los ungidos para mantener al tiempo en movimiento. El cráneo del sol en el centro de la piedra, ahora que no puedo mirarlo, todavía me mira en sueños.

"Una noche, ya en la madrugada, con el fin de no ser molestado y poder mirar con detenimiento aquellos monumentos, me dispuse a contemplar a la Coatlicue, la Virgen Madre, que era de las esculturas la que más me intrigaba. Había tomado pulque con mezcal para darme valor. La luna llena, imponente, Coyolxauhqui en pleno, iluminaba el Zócalo con una luminosidad harinosa y salina. Todavía siento escalofríos al recordar aquella noche perdida en mi memoria. El osario de la Catedral, su parte más antigua, parecía derretirse, y sus relieves agitarse lentamente frente a mis ojos. La Coatlicue estaba recargada a un lado, mirando hacia la calle de la Moneda. No había un alma en la plaza, ni siquiera los dragones virreinales se atrevían a acercarse. Muchos de ellos eran de orígenes indianos y los otros, al ser católicos o criollos, miraban con horror aquella figura abominable. Más de cien años después, cuando leí por primera vez los nocturnos de Xavier Villaurrutia, encontré las palabras exactas de lo que le ocurre a la ciudad cuando la ilumina la luna llena. Recuerdo que olía a pantano. Las acequias, si bien se habían cegado, seguían manando aquella sustancia fangosa, los restos de un lago moribundo que aún hoy se niega a desaparecer y que nos recuerda su presencia permanente cuando llueve, como ahora.

"Un relámpago irrumpió en la oscuridad anunciando la llegada del anochecer. (Borunda hablaba como hipnotizado, con la vehemencia de alguien que ha guardado un secreto durante años y ha encontrado por fin la manera de revelarlo.)

"No sé en qué momento percibí el movimiento de la diosa —prosiguió— el hecho es que las dos cabezas de serpiente, el collar de cráneos, el rostro de cangrejo, la falda de culebras, las garras de ocelote, todo aquello petrificado e inmóvil de pronto se puso en movimiento y un rugido espeso, burbujeante, como proveniente del lodo más profundo, estalló en la noche y su eco aún hoy sigue resonando en mis oídos.

"Por supuesto la Coatlicue no es azteca, es algo mucho más antiguo y espantoso. Tengo para mí, a juzgar por lo que percibí aquella noche, que se trata de un ser real que siempre ha habitado el lago mohoso y subterráneo. Los dioses no desaparecen, ¿sabe usted?, sólo se retiran y éste es el caso de la Coatlicue. En aquel momento no lo entendí así o no quise hacerlo. Creo que a partir de ahí mis sesos se averiaron. Obsesionado con reconciliar las creencias de mis antepasados y mi propia convicción guadalupana, concluí que la Coatlicue era la Virgen de Guadalupe, cuyo culto había traído al continente americano Santo Tomás Apóstol, *el Gemelo,* unos años después de la Crucifixión.

"Si en aquella época tal hipótesis era un disparate, hoy me lo parece menos. No creo que Santo Tomás haya venido a México, las semejanzas entre la Guadalupana y la Coatlicue son de orden simbólico: una da a luz a Jesucristo y la otra a Huichilobos, ambas después de un embarazo milagroso…"

Llegó la hora de cerrar. Borunda me invitó a su casa, ubicada a unas calles de ahí, en la calle de Regina. Según me explicó mientras caminábamos en la noche húmeda, en épocas remotas muy cerca de ahí se hacían rituales a la Coatlicue consistentes en sacrificar niños deformes porque, para los aztecas, los recién nacidos con tres piernas, dos cabezas, cubiertos de escamas, síndromes y otras marcas de nacimiento, eran especialmente preciadas para el culto de la diosa.

Su casa, ubicada en una vieja vecindad, tenía tres habitaciones. En todas partes había cosas sucias y oxidadas. Olía a humedad, a cosa vieja, como olía todo el Centro de la Ciudad, como si nunca se hubiera podido quitar de sus cimientos la pestilencia del fango. Entre las repisas de un librero improvisado con tablones de madera y ladrillos vi diversas estatuillas, réplicas demasiado perfectas a mi modo de ver de piezas prehispánicas. Había una pequeña estatuilla de barro negro verdoso que representaba a la Coatlicue en todos sus detalles. Una reproducción del clásico grabado de León y Gama presidía la pequeña sala y justo enfrente había un altar dedicado a la Virgen de Guadalupe. Vi las constelaciones en su manto, las mismas que marcaban el inicio del solsticio de verano y la llegada de las lluvias, la crecida del lago, el tiempo de la cosecha. La Virgen de Guadalupe y la Coatlicue me parecían tan disímiles que cualquier parentesco me parecía monstruoso. La Coatlicue era una figura repugnante, un ser sin pies ni cabeza, una especie de alebrije prehispánico. La Virgen de Guadalupe, en cambio, emanaba una gracia maternal. Mientras abría una botella de mezcal y servía un par de tragos en sendos caballitos de barro, pareció leer mi pensamiento.

—Es imposible encontrar algo que las relacione a simple vista, salvo el hecho incontrovertible de su divinidad.

A pesar de su ebriedad, Borunda no abandonaba el tono ceremonioso al hablar. La Coatlicue es la Virgen de Guadalupe desollada, vista desde dentro, lo que se oculta dentro de ella: un ser multiforme, muda encarnación de la vida y de la muerte.

En algún momento el mezcal hizo sus estragos y me sumergí en una especie de letargo. Miraba a Borunda pero mis oídos no podían escuchar lo que salía de sus labios. Sus palabras parecían salir del fondo de una cloaca. Literalmente burbujeaban, eran de una vibración fangosa, repugnante.

Luego me encontré en el baño. Estaba desmayado. Mi estómago no había soportado tales cantidades de alcohol. Al otro lado de la puerta, Borunda preguntaba si me encontraba bien. El baño era mohoso, musgoso, sucio, abandonado. Un baño de vecindad que emanaba los colores y los olores del antiguo lago fósil. No quise abrir la puerta. Me sentía mal. Estaba asustado. Le tenía miedo a aquel hombre que me hablaba al otro lado de la puerta. En un cesto descubrí un montón de folletones viejos, de hacía veinte, treinta años. En aquellas revistas amarillentas de publicaciones sensacionalistas había encabezados que me dejaron estupefacto. Nace niño de dos cabezas, y entre los párrafos el nombre de Lupita y de Borunda. Niño de tres piernas y un brazo, imágenes impactantes. Una foto horrible de un ser ensangrentado presidía aquellas palabras. Ha parido a varios monstruos que han nacido muertos y lo sigue intentando. El vértigo me invadió de nuevo. Entonces se abrió la puerta con un estrépito. Vi a la Coatlicue y a la Virgen al mismo tiempo. De pronto ahí estaba también Lupita, la mesera. Es una alucinación, pensé antes de desvanecerme por completo.

Me despertó Lupita en la cama de Borunda. Me miró con ternura. No me sorprendió ver a una mujer muy joven.

—No te preocupes, ya todo está bien. Yo me encargo, mientras, descansa. Esta vez vivirá nuestro hijo, ahora sí va a nacer…

En el piso del baño, amontonado como un disfraz de piel, vi mi propio cuerpo, el traje que había llevado durante treinta años y del que había sido despojado. Lupita lo dobló como si se tratara de una escafandra de hule y lo metió en una bolsa de basura. Ya era Borunda. Lupita regresaría conmigo al anochecer. Había que prepararse para los rituales dedicados a la Diosa. Lupita debía embarazarse de nuevo. Nunca más supe de mí mismo.

¿CON QUÉ SUEÑA EL VAMPIRO EN SU ATAÚD?

José Ricardo Chaves

José Ricardo Chaves (1958), nacido en Costa Rica pero avecindado en México, es autor de las colecciones *Cuentos tropigóticos* y *Jaguares góticos*, del cual se ha extraído el presente relato. Sus investigaciones en la UNAM se han orientado a examinar el ocultismo y la sexualidad de fin de siglo XIX, como lo demuestran sus libros *Los hijos de Cibeles* y *Andróginos*, así como su estudio sobre la vertiente fantástica de la literatura de Amado Nervo, en *El castillo de lo inconsciente*. Ha publicado igualmente las novelas *Los susurros de Perseo* y *Faustófeles*.

> El vampiro selecciona la víctima, fuerte y vigo-
> rosa, con la intención mágica de transferir toda
> su fuerza hacia sí mismo, agota al desprevenido
> con un uso adecuado del cuerpo, normalmente
> la boca, sin que el vampiro participe con algún
> otro sentido en el asunto. Esta práctica, afirman
> algunos, es de la naturaleza de la Magia Negra.
>
> ALEISTER CROWLEY
> *De Arte Magica*

Después del terremoto de 1985, las dos casas contiguas de estilo *art nouveau* se habían venido muy a menos. Bueno, ya para entonces las edificaciones porfiristas de inicios de siglo estaban muy deterioradas; ahora, con el temblor, el cáncer se aceleraba, sobre todo en la casa que había estado más tiempo deshabitada. Unas altas tapias y unos viejos árboles las separaban del mundo exterior, por lo que su deterioro quedaba fuera de las miradas de arquitectos y restauradores. Un antiguo jardín, para entonces invadido por las malezas, había sido compartido alguna vez por ambas casas, no demasiado grandes. En una de ellas vivía un familiar de los antiguos dueños, un matrimonio sin hijos. Primero murió la mujer, a los dos meses el marido. El abogado se encargó de buscar al heredero, un primo segundo del finado. Se trataba de un hombre todavía joven y más bien pobre que vivía en un apartamento de la colonia Portales. Emiliano se llamaba.

Cuando el familiar se enteró de la herencia, se puso muy contento. En verdad le había llegado en el momento en que más la necesitaba. Emiliano había estudiado varias carreras que nunca terminó, se dedicó a la venta de ropa y tampoco funcionó y ya se creía un verdadero fracasado y muerto de hambre a los treinta y cinco años, cuando un día tocan a la puerta, abre y un abogado gordo le avisa que acaba de heredar una propiedad en la colonia Juárez. Emiliano fue con él a ver las casas y su sonrisa se vino abajo cuando vio el estado en que se encontraban. Con el dinero que le quedó después de pagar al abogado, logró rehabilitar a medias una de las casas. Dejó su pequeño apartamento en la Portales y se fue a vivir a una de las desvencijadas, espaciosas y amuebladas casas de la Juárez.

Un día en que revisaba los objetos del cuarto de los difuntos, encontró un álbum de fotografías. Repasó esa colección de caras desconocidas, vio las de sus benefactores y luego se fue a una tienda de antigüedades donde vendió el álbum. Conforme pasaba el tiempo y la situación económica empeoraba, fue vendiendo otros objetos de la casa, con lo que lograba sobrevivir. Las vueltas de la fortuna le habían asegurado un techo pero nada más, y él necesitaba efectivo. Un día en que conversaba con unos amigos mientras tomaban unas copas y fumaban marihuana y jalaban cocaína, uno de ellos le sugirió que por qué no lo ayudaba a distribuir su mercancía, no en grande pero sí con algunos de sus conocidos. De cada venta ganaría un cierto porcentaje. Fue así como Emiliano se convirtió en un pequeño traficante de drogas.

A los pocos meses tuvo el dinero suficiente para arreglar la casa vecina. La puso a la venta pero no hubo comprador. Entonces Emiliano decidió rentarla, para así tener al menos una entrada fija. Pasaban las semanas y tampoco lograba alquilarla.

Una noche mientras veía televisión en la sala, sonó el timbre. Abrió la puerta y vio a una mujer que, aunque hermosa, se vestía más bien de manera anticuada. Tenía dos maletas. Preguntó por la mujer difunta y al enterarse de que había muerto, empalideció, y al preguntar entonces por el hombre y saber que también estaba muerto, se desmayó.

Emiliano la tomó en sus brazos y la acomodó en un sillón. Trajo unas sales, las puso bajo la nariz de la mujer y la despertó. Ella comenzó a llorar y luego le preguntó más detalles sobre la muerte de los señores. En realidad no eran amigos suyos sino de la tía que la envió a la ciudad con esa dirección, aunque ella también los estimaba. Alguna vez los occisos habían estado en el rancho de Guanajuato, visitando a la tía de la joven. Al marcharse le habían dejado la dirección de la casa. No tenían teléfono entonces. Ahora, pocos años después, la muchacha quería trabajar en la ciudad y la tía le había recomendado que visitara a sus amigos. Al llegar a la terminal de autobuses, había tomado un taxi y venido directamente a la casa. Ahora tendría que buscar un hotel pequeño o una pensión.

Fue entonces cuando Emiliano, en parte atraído por la muchacha, en parte conmovido por su historia, le dijo que podía pasar la noche en la casa, que era muy grande, que tenía muchas habitaciones vacías. Ya mañana verían qué hacer. Beatriz, que así se llamaba la joven, aceptó y quedó muy agradecida con él.

Al día siguiente, cuando Emiliano se levantó, se encontró con un gran desayuno que Beatriz había preparado. Se sentaron a la mesa y disfrutaron del banquete matutino. Sin duda Beatriz era una excelente cocinera. Pasaron toda la mañana conversando y luego salieron a recorrer la ciudad. Era la primera vez que Beatriz estaba en la Ciudad de México, por lo que todo le resultaba novedoso y atractivo. Emiliano se sentía como paseando a una niña en un parque de diversiones. Comieron en un restaurante de la Zona Rosa, pasearon más y, cansados, regresaron ya en la noche. Se dio por hecho que Beatriz también dormiría esa noche en la casa.

La muchacha subió a su cuarto y, cuando Emiliano se quedó solo, se preparó un cigarrillo de mota que fumó con avidez. Estaba en sus aspiraciones canábicas, tirado en su sofá del estudio, cuando vio a Beatriz que lo miraba desde la puerta, que había quedado abierta.

—¿No te habías ido ya a acostar?

—Sí, pero bajé por un vaso de leche caliente. Vi la puerta abierta, luz y me acerqué. ¿Qué estás fumando que huele tan raro?

Emiliano no supo qué contestar. No sabía si mentirle o no. Optó por ser sincero y decirle secamente:

—Mariguana.

Beatriz sonrió pícaramente.

—¿La has probado? —preguntó Emiliano.

—No, qué va. Ni siquiera el cigarrillo corriente.

—¿Quieres decir el tabaco?

—Pues sí, el tabaco.

La ingenuidad de Beatriz conmovía cada vez más a Emiliano. Fue entonces cuando ella estiró la mano y le pidió que la dejara probar. Lo hizo torpemente, tosió, pero igual le llegó el efecto con las repetidas aspiraciones. Tras sentirse eufórica y parlanchina, dijo estar mareada y al rato se quedó dormida en el sillón. Emiliano se puso a oír música mientras observaba a la hermosa durmiente en su sofá. Se sintió excitado con su belleza ingenua e infantil. Se acercó a la joven, se cercioró de que estuviera dormida, olió su cabello, sus senos y se masturbó. Después, tomó a la muchacha en sus brazos y la llevó a su habitación, la puso en la cama y luego se dirigió a su propia recámara.

Al día siguiente, mientras desayunaban, Emiliano le dijo a Beatriz que por qué no se quedaba en la casa. Ella podría encargarse de los trabajos domésticos mientras encontraba trabajo como secretaria en alguna oficina, como eran sus planes. Beatriz aceptó complacida, pues no sabía por dónde empezar a buscar trabajo. Laboraría un rato en afanes de la casa, que los sabe hacer muy bien, mientras se orienta. Emiliano dijo que la ayudaría a buscar otro tipo de empleo.

Fueron pasando los días y las semanas y Beatriz seguía en la casa con Emiliano, quien vivía en una eterna vacación, pues como él no tenía horario fijo, se pasaba horas en la casa leyendo, viendo televisión, oyendo música, hablando con amigos, drogándose, y a veces Beatriz también se metía en esa fiesta casi diaria. Apenas lograba sacudir algo del polvo que se acumulaba en esa casa vieja, cocinar y lavar los platos. Cuando había otra gente ella no se mezclaba, se iba a su recámara. Paulatinamente, Beatriz se fue aficionando a las drogas que le proporcionaba Emiliano, todas de naturaleza opiácea: heroína, mariguana, opio, hashish. Todas vinculadas al sueño, al sopor y a la visión: domésticas iluminaciones. En los pocos meses que llevaba de vivir ahí, ya deseaba que llegara la noche para ir a ver a Emiliano a su estudio y pedirle su dosis de droga. Él, con tal de poderla mirar mientras ella dormitaba, le daba su cucharada de sueños.

Le gusta observarla mientras yace drogada. Desnudarla, mover sus brazos, sus manos, jugar con su negra cabellera. A veces se masturba. Por su mente nunca pasa la idea de acostarse con ella, de poseerla físicamente. No, eso sería demasiado vulgar, es algo que puede hacer con otras mujeres, no con ella, con Beatriz, tan buena, tan angelical, tan inaccesible en su inocencia. También podría acostarse con otro hombre, no sería algo nuevo, le bastaría con ir a un bar de maricones y ligarse a un parroquiano. Pero esto lo alejaría aún más de su inocente Beatriz. No, el coito era algo que Emiliano aborrecía si de su Beatriz se trataba.

Hay un pequeño agujero en la vieja pared que separa su habitación de la suya. No es visible desde la cama de ella. Ya lo ha probado. A veces pone su ojo en la mira y el ángulo de visión permite verla tirada en la cama, durmiendo, remendando una falda, tomando su vaso de leche. Ella no ha vuelto a mencionar su trabajo de secretaria.

El abogado gordo llamó a Emiliano. Que había encontrado un inquilino para la casa. Un británico excéntrico que quería pasar una temporada en México. El abogado le había enseñado al inglés las fotos de la casa (en sus tiempos de esplendor). Le gustó. No era muy exigente. El arrendamiento sería por uno o dos años. Emiliano se puso muy contento. Ya tendría una entrada fija cada mes que, unida a sus ocasionales ingresos por droga, le permitían vivir bien sin muchas pretensiones, a él y a Beatriz, quien se había convertido prácticamente en su compañera.

El inquilino de la casa vecina se llamaba Henry Irving. Al menos ése era el nombre que aparecía en el contrato. Casi nunca se le veía. En el día jamás, tal vez alguna que otra noche sentado en una banca del jardín salvaje, como si estuviera tomando un baño de luna. Ahí se quedaba un rato en silencio, fumando un cigarrillo. Desde la ventana de su habitación Emiliano a veces lo observaba. El inquilino era de estatura mediana, fuerte aunque delgado, rubio, de nariz grande, vestido de negro. Le habían dicho que era un artista acomodado, parece que actor. Sólo una vez se habían dado la mano, una noche en que él llegaba con Beatriz del cine y Henry estaba en el pequeño jardín fumando su cigarrillo, siempre de negro. Fue entonces cuando notó su gran palidez y sus labios delgados y rojos.

Beatriz se fue a su recámara y Emiliano se quedó leyendo en el estudio un rato. Pasaron las horas y entonces se retiró a su habitación. Cuando pasaba por la sala, se asomó por la ventana. La luna iluminaba la casa vecina y el jardín intermedio. Fue cuando creyó percibir una sombra deslizándose entre las dos casas, en dirección a la suya. Puso más atención por si fuese un ladrón, pero nada pasó. Seguro había sido su imaginación excitada por la novela policiaca recién leída. Continuó a su habitación.

A la noche siguiente, después de dejar a Beatriz drogada en su recámara, Emiliano se quedó meditando en la oscuridad. Últimamente dormía poco y lo poco que dormía apenas lo sustentaba. Se le habían hecho unas grandes ojeras. Estaba viendo para el techo cuando creyó oír un ruido en la habitación vecina, la de Beatriz. Se levantó con cuidado, sin hacer ruido, y miró por el agujero en la pared. Cuál no sería su sorpresa al descubrir a Henry Irving al lado de la dormida Beatriz, mirándola también, igual que él. La luz de la luna penetraba en la habitación, iluminando la escena. Entonces Henry se inclinó sobre el cuerpo voluptuoso de Beatriz, olió su cabello y su cuello, como él mismo hiciera en otras ocasiones. Y el asombrado mirón vio cómo Henry la mordía en el cuello y chupaba su sangre. A pesar de la agresión, Beatriz no se despertaba. Emiliano creyó seguir bajo los efectos de la droga, pero ya iba de salida. Lo que sus ojos veían era real, el inquilino Irving era nada menos que un vampiro que ahora se deleitaba con la sangre de su amada Beatriz.

Emiliano, petrificado, esperó hasta que Henry saciara su sed y luego vio cómo salía por la ventana que daba al jardín. Un árbol de durazno que ya no daba fruto le sirvió como escalera. No pudo evitar persignarse tras la escena. Volvió a su cama. A la mañana siguiente, al despertar, salió corriendo a la habitación de Beatriz y ahí estaba ella, tan jovial como siempre, algo pálida pero dispuesta a preparar el desayuno. Usaba un suéter de cuello de tortuga, por lo que no pudo ver ninguna marca en su cuello.

Al atardecer volvieron a drogarse. Beatriz estaba tan débil que no quiso cenar la ensalada de apio y sólo pidió más opio. Su adicción aumentaba día a día, noche a noche. Emiliano la llevó a su cuarto, se fue al suyo propio y ahí esperó en la oscuridad, por si aparecía Henry. Y apareció. Eran las dos de la mañana y sólo se oía el ladrar de un perro en la calle. El vampiro repitió su rutina y pareció paladear aquella sangre diferente, que él ignoraba que estuviera contaminada de opio y marihuana. Quizá eran estos nuevos ingredientes los que tanto lo atraían de la sangre de Beatriz, pues la encontraba más agridulce que otras. Después de acabar sus succiones, Henry se sintió con mucho sueño, a pesar de que todavía le quedaban algunas horas de oscuridad y bien podría deambular por las calles sosegadas y casi solitarias del barrio, pero no, mejor no. Rápidamente se dirigió a su casa. Sin embargo, no regresaba solo. Tras él iba Emiliano que, cauteloso, lo seguía en silencio. Vio cómo Henry entraba por la puerta trasera de la casa y cómo, tambaleante por el sueño, se perdía en las habitaciones interiores.

No sin cierto miedo, Emiliano entró en la casa del vampiro y estuvo yendo de una habitación a otra. Se iluminaba con una lámpara de mano. En una de las habitaciones del primer piso encontró a Henry durmiendo en un ataúd sin tapa. Las ventanas estaban cubiertas por gruesos cortinajes, por lo que la luz del día jamás entraba en ese recinto. Titubeó antes de avanzar más, pero lo hizo; se acercó al ataúd y Henry casi roncaba en su interior. Le pareció tan hermoso como Beatriz cuando dormía. Emiliano entonces volvió a su casa y se acostó. Iban a ser las cinco de la mañana.

En su ataúd, Henry gozaba los sueños más plácidos que tuviera en mucho tiempo. Nada de pesadillas con fuego y estacas. Ahora Henry caminaba por un luminoso jardín inglés, lleno de flores, a plena luz del día. Corría por el césped y, a lo lejos, unos niños jugaban con un perro café. Hacía tanto tiempo que Henry no disfrutaba de la luz diurna, que el poder hacerlo en su sueño lo hizo sentirse muy feliz.

El ritual de Henry chupando a Beatriz mientras Emiliano los veía se repitió noche a noche. El propio Emiliano tuvo que modificar sus hábitos para permanecer despierto.

Como se daba cuenta de la palidez y debilidad crecientes de Beatriz, él le pidió que, ya que ella se encargaba de cocinar, comprara mucho hígado de res y que lo consumiera en caldo y bistec. Alguna vez había oído que era muy bueno para reponer la sangre. Los últimos días, Beatriz prácticamente no se levantaba de su cama. Cada día, hacia las tres de la tarde, Emiliano subía y le daba su caldo de hígado. Como una niña consentida, ella se limitaba a abrir la boca y tragar. Emiliano intuyó que esto no iba a durar mucho.

¿Por qué no hacía algo al respecto? ¿Por qué no protegía a la muchacha del vampiro? No lo sabía a ciencia cierta, pero para él no había nada mejor en el mundo que ver a Henry inclinado sobre Beatriz, sorbiendo su néctar de vida. Era todavía más excitante que ver a la joven desnuda y durmiendo.

Por su parte, Henry se levantaba tarde de su ataúd y, con cada noche que pasaba, sentía una ansiedad mayor y entonces se dirigía al cuarto de Beatriz para su ración de sangre. Desde que comenzó a nutrirse de la joven, había abandonado sus merodeos noctámbulos por la ciudad, que tanto le gustaron los primeros días de vivir en el nuevo país. Hacía siglos que quería conocerlo, desde sus conversaciones con viejos amigos como el naturalista Humboldt y la viajera *madame* Calderón de la Barca quienes, entusiastas, hablaron maravillas de ese país. Ahora, después de comer, si estaba de humor, apenas daba una vuelta por un parque cercano y volvía a su ataúd para dormir y soñar sus sueños maravillosos, sueños que lo alejaban de la oscuridad cotidiana y lo llevaban a la claridad de un gran jardín, en donde paseaba a veces solo, a veces de la mano de Beatriz, ambos sonriendo y besándose. La luz del sol, el mediodía, las flores: eran cosas que no disfrutaba desde hacía tanto tiempo.

A veces en sus sueños veía acercarse a la Muerte vestida de ángel. Entonces Henry corría tras ella gritándole que no lo abandonara, que se fijara en él, que lo llevara con ella, pero la Muerte juguetona seguía su camino y se perdía entre las flores. Entonces Henry lloraba y se despertaba en las tinieblas de su ataúd, vivo, eternamente vivo.

La situación tenía muy nervioso a Emiliano. Tener como inquilino a un vampiro no era nada tranquilizador. Que ese vampiro se estuviera chupando al objeto de sus fantasías eróticas era menos tranquilizador aún. Aumentó el uso de droga todavía más, tanto en él como en Beatriz y, en consecuencia, en Henry. En la noche esperó a que el vampiro acabara su sesión, pero lo curioso es que ya llevaba mucho rato inclinado sobre Beatriz y no se levantaba. Esperó un poco, pero nada. Entonces fue al cuarto de su amiga. Henry seguía inclinado sobre ella. Se acercó más y con sorpresa notó que el vampiro se había quedado dormido en el cuello de Beatriz. Lo hizo a un lado e inspeccionó a la joven, que lucía más ojerosa que nunca. Le tomó el pulso y no lo sintió. Beatriz estaba muerta.

Levantó a Henry de la alfombra, se lo echó al hombro y lo llevó a su casa. Lo puso en el ataúd de siempre. Vio su cara de satisfacción y un gemido leve, casi sensual, surgió de su boca. El vampiro parecía estar soñando. ¿Cómo sería chupar a un vampiro?, pensó Emiliano. Entonces sacó la cuchilla que siempre cargaba en el bolsillo y, con el corazón acelerado, hizo una pequeña incisión en la garganta de Henry, quien volvió a gemir, pero sin despertar. La sangre brotó y con la yema de su índice derecho la tocó y luego se la untó en la frente, en la garganta y sobre el corazón. Luego puso sus labios sobre la herida. Le gustó mucho el sabor y succionó más. El olor ancestral de la piel de Henry lo excitó sexualmente. Entonces pensó en cómo sería la vida sexual de los vampiros y, sin dejar de chupar, estiró su mano y la puso sobre el sexo de Henry. ¿Tendría pene? Sí, sí tenía. Para su sorpresa sintió el miembro erecto del vampiro quien, sin embargo, seguía en su sueño, drogado por la sangre contaminada. Abrió la cremallera del pantalón y se dio cuenta de que el vampiro no usaba ropa interior. Vio el pene erguido y palpitante de Henry, así como su ausencia de vello púbico (¿sería ésta otra marca de vampirismo, como la ausencia de imagen en los espejos?). Al palpar la fortaleza rosácea del miembro, Emiliano se excitó más y, saciado de sangre pero no de sexo, decidió succionar el falo del vampiro.

Henry seguía con sus sueños en el jardín brillante mientras en la tierra Emiliano continuaba con su felación. En su estado onírico, una Muerte-niña huía de él, quien de inmediato la persiguió y, cuando al fin pudo alcanzarla y poner su mano sobre su dulce hombro huesudo, fue entonces cuando Henry eyaculó en un sueño húmedo y luminoso. Emiliano se levantó pensando que el vampiro se despertaría, pero no lo hizo. Apenas entreabrió los ojos en blanco, algo enrojecidos, y siguió dormido. El escaso semen cayó sobre la ropa negra de Henry. Emiliano olió el líquido blanco, lo palpó con sus dedos y no le pareció muy distinto del semen humano en su textura. Lo probó y le resultó más bien ácido. Entonces se untó la semilla vampírica en los mismos lugares en donde antes se había tocado con la sangre. No sabía las razones de estas unciones, pero le salían de lo más natural, como si fueran los pasos rituales de una oscura iniciación.

No tardaría en amanecer. La noche había estado llena de nuevas emociones para Emiliano. En la casa vecina yacía el cadáver de Beatriz. Ahí seguía drogado el cuerpo del vampiro. Entonces Emiliano descorrió las gruesas cortinas y la luz del amanecer invadió la habitación. Así, mientras Henry soñaba que la Muerte angelical al fin le hacía caso y lo miraba con dulzura, lo tomaba de la mano y se lo llevaba corriendo por un prado florido, su cuerpo físico se deshacía en polvo ante el impacto de la luz diurna. Emiliano abandonó el recinto una vez que el vampiro quedó reducido a polvo, a polvo enamorado de la muerte.

En el fondo del jardín montaraz que dividía las dos casas, Emiliano cavó una zanja y enterró a Beatriz. Nadie preguntó por ella. Tampoco por Henry Irving. Cuando una vez el timbre sonó y al abrir se encontró con una mujer mayor, Emiliano supo que se trataba de la tía de Beatriz. Ante la inquisición de la anciana, él le dijo, primero, que los viejos habían muerto, segundo, que ninguna muchacha había llegado a su casa. La mujer se alejó muy triste. Las dos casas continuaron con su proceso de decadencia. Después de aquella noche y de aquel amanecer en que murieron Beatriz y Henry, Emiliano se aisló aún más del mundo.

Dejó de vender drogas y hoy vive solo y miserable en aquella propiedad en putrefacción.

LOS HABITANTES
HÉCTOR DE MAULEÓN

Héctor de Mauleón (1963) es un escritor y periodista con un gusto particular por recrear el pasado de la Ciudad de México. A través de libros de crónicas como *El tiempo repentino* y *El derrumbe de los ídolos*, logra que sucesos antiguos adquieran una sorprendente vigencia, y nos digan mucho del presente. Ha publicado también cuento (*La perfecta espiral*) y novela (*El secreto de la Noche Triste*). Es subdirector de la revista *Nexos* y conductor del programa *El Foco* en Canal 40. "Los habitantes" está tomado del volumen de relatos *Como nada en el mundo*, publicado en 2006.

—Suena a cuento de Carlos Fuentes —le dije en broma.

Pero era en serio. Oralia había enviado ese domingo un mensaje a mi celular: "Alcánzame en Choapan 135. Hallé un estudio. Voy a rentarlo". La encontré recargada en la puerta de un garaje, con el pelo recogido sobre la nuca y un par de llaves en la mano. Choapan era una calle melancólica, oscurecida por los árboles, en la parte más solitaria de la colonia Condesa.

—Está padrísimo —dijo—. Pero me da un poco de miedo.

A mí, en cambio, me gustó que le brillaran los ojos. Desde hacía semanas estaba visitando departamentos oscuros, que sus dueños alquilaban como mansiones señoriales. Cuartuchos de paredes raídas que parecían blandir sonrisas crueles, en los que podían pasar las peores cosas. Llevaba un año viviendo en un piso pequeño al sur de la ciudad, pero la vuelta intempestiva de los propietarios, de una residencia en el extranjero, la obligaba a mudarse cuanto antes. Tenía dos semanas de plazo. Así que aquel brillo en los ojos parecía la mejor señal.

—Te brillan los ojos como charcos alumbrados por la luna —dije, citando a Rulfo.

El anuncio había aparecido esa mañana en el *Aviso Oportuno*: "Rento estudio amueblado. Condesa. 4,500 pesos". No era fácil encontrar la dirección. Oralia tuvo que sacar la *Guía Roji* de la guantera del auto y descifrar ese laberinto de calles que no llegan a ninguna parte, porque a veces vuelven sobre sí mismas, con que a principios del siglo pasado algún oficiante de la modernidad trazó la colonia Condesa. Al cabo, recaló en una casa de paredes blancas venidas a menos. Una anciana asomó por la ventana del segundo piso y, con ayuda de una canastilla amarrada a un mecate, le bajó la llave.

—No puedo caminar —le dijo—. Suba por favor las escaleras y siga hasta el fondo del pasillo.

Oralia abrió la puerta. Adentro había retratos cubiertos de polvo, sillones envueltos en fundas y jarrones donde languidecían algunas flores de cera. Las alfombras daban la impresión de no haber sido pisadas en mucho tiempo.

La anciana esperaba, metida en una cama, tras la última puerta del pasillo. Tenía las manos largas, huesosas, como tarántulas desquebrajadas.

La renta del estudio parecía significarle el comienzo de un gran día. Se había puesto pestañas postizas. Un colorete intenso animaba, desentonando, sus mejillas ajadas. La televisión estaba encendida. Alrededor del lecho había botellas de agua, latas de conservas y algunos platos sucios.

—Perdone —repitió—. No puedo caminar. Cosas de la edad: los huesos se me hicieron polvo de un día para otro.

Oralia se sentó en un extremo de la cama y miró con disimulo los mendrugos de pan regados en las colchas. La vieja sonrió con amargura.

—Dependo de mi hermana. Viene a verme todos los días. Si le interesa el estudio, deberá tratar con ella.

Oralia asintió.

—Comprenderá que no puedo acompañarla. Tendrá que bajar usted sola a visitar el estudio.

Le dio las instrucciones: salir a la calle, abrir la puerta del garaje y atravesar el patio de losetas rojas bajo las ramas de un árbol que se partía de viejo.

—Lo verá ahí. Una puertita blanca detrás del olmo…

El estudio estaba al fondo de un jardín desaliñado. Era, en realidad, una casa pequeña de dos habitaciones, en las que se colaban rendijas de luz filtradas débilmente entre las persianas. Olía a madera vieja. El olor que acompañó los días que vinieron después.

Lo primero que hizo fue abrir las persianas. La mañana radiante iluminó una colección de muebles antiguos, provenientes de un tiempo anterior a la construcción de la casa. Rinconeras, mesas de noche, cómodas olorosas a polvo y un tocador provisto de un descascarado espejo oval. Oralia supo de inmediato que aquella había sido la habitación de una anciana. Las telarañas del tedio, algo cercano a la soledad, flotaban aún en los rincones.

De los muros de la pieza destinada a la recámara, pendían varios retratos. Figuras detenidas en calles, patios, salones de los años veinte; un álbum familiar que era, en realidad, altar para los muertos. Rostros color sepia tocados con peinados y bigotillos antiguos, de hombres y mujeres borrados de la Tierra.

Había también dos clósets. Uno de ellos, cerrado con llave.

Oralia regresó al patio, porque aquel olor le había provocado una tristeza indefinible y, bajo el olmo que dejaba caer algunas hojas, sopesó las posibilidades del futuro.

Con sol y algo de música, resolvió, el estudio podría resultar un buen lugar para vivir. Envió el mensaje a mi celular y regresó a la habitación de la anciana.

—¿Le interesa el estudio?

—Me interesa —respondió Oralia.

La vieja agregó:

—Ahí vivió mi tía. Parece que las mujeres de esta casa estamos condenadas a la soledad. A mí todo me resulta ya tan rutinario, que falta poco para que caiga dormida.

Luego, sin pausa, informó:

—Los muebles son valiosos, pero no tengo otro lugar donde ponerlos. Le ruego que los cuide. Están en mi familia desde que comenzó el otro siglo.

Un perro aulló en un patio cercano. La anciana se concentró un momento en la televisión —había uno de esos programas de entretenimiento— y continuó:

—No se admiten mascotas. Raspan los muebles y destruyen las plantas del patio. Una vez tuve un gato. Pero ahora, no.

Oralia preguntó por las condiciones de la renta.

—Se las dirá mi hermana —contestó la vieja—. Pero ya es tarde, y estoy pensando que no vendrá. De cualquier modo —añadió con una sonrisa cómplice—, le anotaré todo en un papelito.

Tomó un bloc de notas de la mesita de noche y garrapateó unas líneas.

–Dicen que la ciudad ha cambiado –murmuró, mientras desprendía la hoja–. Yo hace años que no salgo. Me entero de todo por televisión y por lo que cuenta mi hermana. Ella se casó. Yo no. Viví un tiempo en Bélgica. Pero sólo un tiempo. Todo lo demás, lo he pasado en esta casa; y después, en este cuarto. A veces ni siquiera recuerdo cómo es la sala. ¿Encontró todo en orden allá abajo?

Oralia dijo que sí, que todo parecía en orden.

–Apúnteme aquí su nombre, el teléfono de su trabajo y el de tres personas que puedan dar referencias suyas. Mi hermana dice que debo fijarme en quién meto aquí. Como estoy sola… A mí, por el contrario, me alegra que se rente el estudio. Será una forma de estar acompañada.

Llamé a Oralia en ese instante, pues también a mí me estaba dando trabajo encontrar la casa. Bajó a esperarme a la calle. La seguí por el patio de baldosas rojas, hacia el fondo del jardín desaliñado.

Unos días después, un carro de mudanzas trajo sus cosas. Ayudé a ordenarlas dentro del molde antiguo de la casa. Abrimos las ventanas, descolgamos los retratos, pusimos discos de Art Tatum y Coleman Hawkins y pasamos horas fregando a conciencia las capas de polvo. Parte de esa tierra debía provenir de cuando Ortiz Rubio gobernó el país. Cuando llegó la hora de abrir las maletas y colgar los vestidos, recordé que uno de los clósets estaba cerrado. Oralia subió a ver a la anciana; preguntó por la llave. Ya no había colorete en las mejillas ajadas. Conservaba aún las pestañas postizas, pero una de éstas se le había desprendido, provocando en el rostro un efecto extraño.

–Le ruego que no ocupe ese clóset –dijo la vieja–. En el otro hay bastante espacio.

Oralia titubeó. La anciana intentó ser persuasiva:

–Ahí guardamos la ropa y los papeles de mi tía. Ojalá no le moleste. Pero no tenemos espacio donde ponerlos.

Ese día abrimos una botella de vino y sacamos las sillas al patio. Estuvimos ahí hasta que la tarde se puso morada, y luego se fue apagando. La casa de la anciana, al otro lado del patio, permanecía a oscuras y con los visillos cerrados. Recordamos cuentos de espantos, y luego hicimos una larga enumeración de hechos (la casa solitaria, la anciana paralítica, el jardín desaliñado, los muebles y los cuadros antiguos…), hasta crear esa clase de clima en el que sólo falta la aparición de un fantasma.

–Ya cállate –ordenó Oralia–. Y quédate hoy.

Obedecí. Pero no pude dormir: un mundo de olores resulta ingobernable. A pesar de la fragancia del jabón y la potencia de los desinfectantes, el olor que ascendía del pasado entraba en mi nariz, picaba mi garganta.

Ella tampoco lo consiguió. En la madrugada, saltó de la cama y encendió las luces. Todas las luces.

–Por lo menos voy a quitar de mi vista estos retratos –dijo.

Comenzó a meter los cuadros en una caja de Fab.

–Qué extraño –murmuró de pronto–. La vieja me dijo que no se había casado.

Me acerqué a mirar. Era una foto de boda de los años cuarenta. Los invitados rodeaban a los novios en la escalinata de un templo.

–Es ella –dijo Oralia–. Estoy segura de que es ella.

Los grillos tampoco durmieron. Estuvieron chirriando en el jardín hasta que el sol entró por los visillos, dibujando sonrisas en las persianas.

Al menos en la primera cuestión, Oralia no se había equivocado. El estudio era un buen sitio para vivir. No se escuchaban los ruidos de los autos que por la noche rodaban en las avenidas cercanas; la tarde caminaba despacio, arrancando perfumes a las plantas. Los pájaros cantaban quince minutos antes del amanecer.

Me quedé ahí dos o tres noches, en lo que la inquilina iba conquistando su espacio. A Art Tatum y Coleman Hawkins le siguieron Fats Waller y Django Reinhardt. Era fácil dejar correr la vida bajo el olmo. Oralia compró una mesa de jardín y la colocó en el patio, espesado por las hojas. Pequeños ejércitos de hormigas salían de sus agujeros y las arrastraban sobre las baldosas: eran esas señoritas con sombrillas del cuento de Guadalupe Dueñas.

Volví luego a mi departamento. Oralia me llamó esa noche para decirme que se escuchaban pasos en la casa de la vieja, pero no tuvo problemas para dormir. Esa tarde, al volver del trabajo, encontró que habían sembrado plantas nuevas junto a la puerta del estudio, flores color malva que poblaban el patio de aromas misteriosos.

—Le toqué a Trinita para darle las gracias —me dijo por teléfono.

—¿Trinita?

—Así se llama. Le di las gracias por las plantas, pero pareció no comprender. Cuando hice otras preguntas, se mostró evasiva. La conclusión es que no tenía la menor idea de que alguien hubiera sembrado esas plantas.

Dije que no veía nada raro en el hecho. Se trataba, tal vez, de una atención de la hermana.

—Como quieras —respondió—. Pero aquí de noche las cosas se ponen muy raras. ¿Y sabes qué? Estoy convencida de que me mintió. Es ella la que aparece en la fotografía de la boda.

Sonreí.

—¿Has notado que algunos jueves los hermanos se parecen?

—Lo raro es que la dichosa hermana no ha aparecido nunca. Tampoco estuvo presente cuando firmé el contrato.

Confesé que alguna gente tiene amigos imaginarios, pero que no había conocido el caso de alguien que tuviera hermanas imaginarias. Lo más cercano era Norman Bates.

—Pero esas cosas sólo se le ocurrían a Hitchcock…

—Ya cállate —volvió a decir—. Y quédate conmigo hoy.

Toqué el timbre al caer la noche, con otra botella de vino y un álbum de Lena Horne. Salimos a escucharlo al patio. La casa de la vieja estaba a oscuras.

Más tarde, en la penumbra, mientras Oralia murmuraba un poco en sueños, creí percibir algunos ruidos del otro lado del patio, puertas que se abrían y cerraban, una risa ahogada que crepitó en las cenizas de la noche. Salí a mirar, cobijándome con los brazos. Todo estaba quieto, todo estaba apagado. Éramos los tranquilos habitantes de una tumba. Pero algo había cambiado. Era la luna. Se movió de pronto en el cielo y me dejó entrever, como una figura que apareciera en el interior de un sueño, la silueta que me observaba tras los visillos de la persiana, el rostro impasible de la anciana, con sus pestañas postizas tras de las cuales habitaban dos ojos, como dos ratones quietos.

–Para tratarse de una paralítica, tuvo que recorrer sus buenos veinte metros para venir a mirar al otro extremo de la casa –resolvió Oralia a la mañana siguiente–. Puede caminar. También mintió en eso.

No supe qué decir. E hice lo que debe hacerse en esos casos. No dije nada.

–Me quedaré contigo hoy –continuó Oralia–. Ni loca voy a pasar la noche en esta casa.

Acordamos encontrarnos por la tarde a la salida del trabajo, en un café del Centro. Cenamos en un viejo restaurante de Madero y paramos a beber una copa en uno de los bares de la avenida Juárez. Yo había conseguido una explicación que podía poner a prueba todo lo dicho. Tal vez la anciana no estaba completamente paralítica. Podía levantarse, andar por la casa con dificultad:

–En algún momento tendrá necesidad de acercarse al baño. ¿Qué tiene de extraño que una vieja solitaria recorra su casa por las noches?

–Me dijo que nunca salía del cuarto. Que ni siquiera recordaba cómo era la sala…

–Uno tiende a generalizar. A lo mejor nunca baja, pero puede levantarse. Si fuera totalmente paralítica, tendría a alguien a su lado. Una enfermera, alguna criada.

–Dices "totalmente paralítica" como si pudiera decirse "totalmente muerta", "totalmente embarazada"…

No quise insistir. Pero un día llegaría la noche y ella tendría que quedarse a solas en la casa.

Salimos al viento frío que agitaba los árboles de la Alameda.

—Es horrible esta sensación —dijo Oralia—. Es horrible no querer volver al lugar donde vives.

Le pasé el brazo por el hombro. Nos metimos en un cine. Abrí a la medianoche la puerta de mi departamento. Encendí todas las lámparas. La fui desnudando despacio en el sofá de la sala. Sentí que estaba ahí, pero también en otra parte.

—Deja el estudio —pedí—. No tienes que volver. Iré a sacar tus cosas mañana.

—No. Lo que voy a hacer es buscar un cerrajero. Haré que abra el clóset del cuarto, porque no voy a quedarme ni un día más con la duda.

Se quedó dormida. Estuve escuchando su respiración. Toqué su frente humedecida por los sobresaltos del sueño. Recordé a la anciana y la forma en que me había observado desde la ventana.

Abrimos el clóset a media tarde.

—Lo sabía, lo sabía… —murmuró Oralia.

En los cajones, metidas en bolsas de plástico, estaban las actas de nacimiento y de boda. Las fotos de niñez y juventud de Trinita. Imágenes captadas en el patio, en la sala, en las habitaciones: Trinita niña, Trinita joven, Trinita novia.

—¿Lo ves? —preguntaba Oralia—. Está sola en las fotos. No hay ninguna hermana.

Pero yo no lo veía. Sólo podía mirar aquellos frascos llenos de formol, ocultos entre los chales, los suéteres, los abrigos, en los que gravitaban, inertes, dos masas verdosas. Sólo podía pensar en esa risa ahogada que había chisporroteado la otra noche, y en la vieja de pestañas postizas que me había observado desde las persianas. No pude ver nada, no pude quitar la vista de los frascos. Cerré las puertas del clóset. Dije:

—Ven.

Y afuera, en el patio, abracé a Oralia.

LA MUJER QUE CAMINA PARA ATRÁS

ALBERTO CHIMAL

Alberto Chimal (1970) es un escritor de fantasía y ciencia ficción que se ha preocupado por extender las posibilidades de los géneros literarios. En 2002 obtuvo el Premio Nacional de Cuento San Luis Potosí por *Estos son los días*. Cultivador del relato desde hace 25 años, también ha incursionado en la novela con *Los esclavos* y *La torre y el jardín*. Es un autor sumamente activo en redes sociales y mantiene el sitio *Las historias*, que es una referencia en la web. También es un tallerista constante y ha formado a numerosos escritores jóvenes. "La mujer que camina para atrás", donde Chimal se adentra en los terrenos del relato sobrenatural, fue tomado del libro *Siete*, publicado en 2012.

Iban a dar las diez de la noche. Fui por Celia, mi esposa, a su trabajo, en un edificio del Centro de la Ciudad. Ya había pasado mucho tiempo desde su hora reglamentaria de salida. Cuando estábamos a punto de dejar el edificio, una de sus compañeras de trabajo corrió a alcanzarnos: el jefe decía que acababan de llegar aún más pendientes atrasados y era necesario que se quedara. Celia subió de nuevo: a decirles que se iba, me dijo. Pasaron varios minutos y, cuando volvió a bajar, Celia me avisó que sólo le habían dado una hora para merendar y por lo tanto deberíamos hacerlo en algún sitio cercano.

Sentí rabia. Apreté los dientes pero no dije nada.

—Estas cosas sólo pasan en México —se quejó ella, como es la costumbre.

Fuimos al café La Blanca, un sitio viejo y sin pretensiones como muchos otros de la zona. Nos sentamos a una mesa cualquiera entre oficinistas, empleados de tienda, paseantes de ropa cómoda y barata que no buscaban sino un café con leche y una pieza de pan. Llamamos a una mesera y pedimos lo que todos ellos.

De niña, Celia había ido muchas veces a aquel lugar en compañía de su madre. Hoy, en la mesa junto a la nuestra, un hombre leía *La Prensa* y nos dejaba ver las fotos de asesinados de la primera plana. Un par de televisores encendidos, puestos en alto sobre bases fijas a la pared, mostraba el noticiero de la noche, en el que alguien hablaba con optimismo de las muertes debidas a la lucha contra el narcotráfico. "Ha habido treinta mil ejecutados en los últimos cuatro años", decía, "pero pues en los siguientes dos esperamos menos". La gente, más que las pantallas, miraba la calle: la luz en el interior del café, que tenía piso y techo y paredes blancos, salía por sus grandes ventanales e iluminaba un poco las aceras.

—Oye —dijo Celia—, ¿te puedo contar algo? ¿Aquella historia que siempre digo que te voy a contar?

Elegimos pan dulce de la bandeja que trajo la mesera. Yo comenté, como también es la costumbre en estos días, que los noticieros no hablan ni de la mitad de la violencia que ocurre realmente. Mi esposa no me hizo caso y comenzó su historia. Era, me dijo, justamente de cuando iba al café, de su infancia:

—A veces me mandaban a comprar cosas ya de noche. Iba yo sola por pan, o si no a una cremería que no estaba tan cerca de la casa...

—¿Cuando estaban en la calle de Perú?

—Sí.

La familia entera de Celia vivía entonces en el Centro. Hasta su muerte, la abuela había mantenido unidos y bajo el mismo techo a sus seis hijos, las parejas de todos ellos y la primera generación de nietos; después todos se habían peleado entre sí y habían terminado dispersos. La casa era ahora una sede de Alcohólicos Anónimos, con salas de reunión y un anexo en el que siempre había al menos diez o doce adictos, a los que se buscaba curar con golpes, baños de agua helada y plegarias.

—Una noche salí un poco más tarde que de costumbre —me contó Celia—. Las calles estaban casi vacías cuando fui y cuando regresé. Sí daba un poquito de miedo...

Yo seguía disgustado por la prisa con la que debíamos terminar y porque, después de acompañarla de vuelta a su oficina, tendría que esperar quién sabe cuánto tiempo en quién sabe dónde. Pero traté de concentrarme en lo que Celia decía y en el sabor del café, que era dulce y cargado a la vez. En todo caso no tenía alternativa: no iba a dejarla sola ni a quedarme lejos de ella. Apenas la noche anterior nos habían asaltado cerca de casa, nos habían quitado dinero, tarjetas, las llaves del coche y hasta las chamarras que llevábamos puestas, y habíamos pasado todavía una hora más en el mismo sitio, sentados en la acera, incapaces de decidirnos entre volver a casa (hasta donde alguien podría seguirnos) o buscar ayuda en otra parte (a riesgo de volver a encontrarnos con los dos ladrones, que eran muy jóvenes y flacos, y tenían armas que nos habían parecido enormes).

—Desde luego —me dijo Celia—, daba miedo porque la calle estaba oscura.

Lo que me estaba contando le había ocurrido poco antes del terremoto de 1985, en el que tantos edificios se habían derrumbado en el Centro y por todo el resto de la ciudad y en el que también habían muerto, tal vez, decenas de miles.

—Y porque una de chica se asusta con estas cosas...

Deseé que la historia no fuera de algún suceso terrible como el que nos había acontecido apenas: un trauma del que se decidía a hablarme justamente en esa noche pésima. De inmediato me sentí culpable. Pensé en el miedo que yo mismo había tenido ante los ladrones: en que no había hecho nada para defendernos. Y pensé también que el terremoto siempre me ha parecido algo espantoso: yo también era niño entonces y recuerdo que vi caer, desde lejos, un edificio del barrio de Tlatelolco, que se doblaba como si estuviera hecho de cartón; recuerdo las sirenas, las montañas de escombros...

—Daba miedo pero ahí iba yo —dijo Celia.

Por otra parte, no sólo a mí me había quedado una marca. En los años siguientes vi cómo las historias del tiempo del terremoto empezaban a agregarse a las otras: a las leyendas antiguas de la ciudad, llenas de aparecidos y diablos y que yo había alcanzado a escuchar aún de mucha gente mayor. Empezó a hablarse más, de hecho, de gente muerta de pronto o perdida en el caos, amnésica o loca de terror; de los sonidos que hacían los sepultados bajo las ruinas, vivos pero inalcanzables; del olor de los cadáveres bajo los escombros que nunca se retiraron de una escuela de enfermería, de la pared que aplastó a dos compañeras de la propia Celia en el Colegio de las Vizcaínas...

De ahí sólo había un paso a nuestra fascinación con los muertos de hoy, las balaceras, las noticias de lugares en los que el gobierno ya no rige. Desde entonces aprendimos a no creer en fantasmas, o tal vez a tener más miedo aún de la vida real.

—Tenía que comprar un litro de leche y un kilo de queso. Y pasando junto a la iglesia de Santo Domingo, la vi.

Estaba paradita en la esquina. Se veía así –y Celia se estiró, aunque estaba sentada, para dar la impresión de que se ponía en posición de firmes.

Ahora sentí alivio: con esa imagen vaga de quienquiera que fuese que Celia hubiera visto allí, ante la vieja iglesia en la calle de Brasil, me di cuenta de que aquélla era, pese a todo, una simple historia de susto. Siempre las hacemos al modo de las películas de horror porque de allí las aprendemos: siempre los personajes que aparecen de pronto en alguna posición rara, o muy tensa, o como aturdidos, resultan luego aliados de alguna fuerza maléfica, hipnotizados, poseídos…

–Primero no pensé nada raro –dijo Celia–: simplemente era una viejita que estaba ahí, esperando a cruzar la calle… Pero entonces me di cuenta de que no había coches por ningún lado.

–¿Cómo?

–No había razón para que no cruzara la calle. De pronto no había nadie a la vista. Como si todo el mundo se hubiera ido o como si no hubieran sido las nueve y pico sino las tres o las cuatro de la mañana. Y en cambio yo sí tenía que pasar a su lado… Ya estaba yo inquieta. Pero me acerqué. ¿Qué más podía hacer?

Algo parecido habíamos sentido, pensé, el día anterior, a la hora de cruzarnos con los dos que nos habían asaltado, y que estaban en una esquina, como esperando cruzar la calle o subir a algún transporte. No dije nada.

–Ella –dijo Celia– llevaba pura ropa vieja, me acuerdo. Un suéter raído, blanco pero tan sucio que parecía negro; una falda azul, floreada, que le llegaba hasta los tobillos, pero tenía tantos agujeros que las piernas se le veían enteras, así pensé. Las piernas sucias y creo que con heridas... o várices... Los zapatos eran de plástico, de ésos que se deforman en cuanto te los pones, y negros. Además tenía el pelo blanco —levantó las manos hasta la altura de su cabeza y las separó— así, como una nube... Y cuando estuve junto a ella me le quedé viendo porque seguía sin moverse. Como si yo no estuviera ahí.

* * *

Poco después de que Celia terminara su historia, pagamos la cuenta, salimos y la acompañé hasta su oficina. En la entrada del edificio tuvimos una discusión: le propuse buscar un cuarto de hotel para que pasáramos la noche cerca y ella se negó. No teníamos dinero, me dijo, y además no quería quedarse en ese rumbo. Por ningún motivo, dijo. Yo cometí la tontería de decirle que se calmara: que no se dejara llevar por la historia que me había contado, que no era para tanto. Ella dio media vuelta y entró sin despedirse.

Yo no quise seguirla. Me alejé, caminando, por la calle de Donceles. Llegué hasta Palma. Hacía frío, apenas había gente y coches en la calle y todos los comercios estaban cerrados.

A pesar de lo que yo mismo había dicho, no podía dejar de pensar en la historia que Celia me había contado, y sobre todo en el final:

—Y entonces que la mujer se voltea —me había dicho ella.

En la calle de Palma di vuelta, pero me detuve al ver que un coche de policía estaba detenido sobre la acera con las luces encendidas. Dos agentes vestidos de civil, con placas colgadas de sus cinturones, alejaban a unos pocos curiosos. Alguien más tendía un cordón para que nadie se acercara al cuerpo tirado en la calle. No vi sangre pero, de todas formas, supe: no era el primer muerto que veía, aunque sí el primero en una calle, el primero tirado en esa posición.

–Que la mujer se voltea y que pone una cara… –me había dicho Celia.

Pensé que esa persona había estado viva tal vez mientras Celia y yo caminábamos cerca, discutíamos, nos separábamos. Me alejé del cuerpo y de los policías. Avancé hasta Tacuba, di vuelta al llegar y seguí por esa calle hasta Isabel la Católica, donde di vuelta una vez más hacia Madero. Empecé a escuchar, muy distante, la música de lugares animados y todavía abiertos: bares, antros, taquerías…

–Te juro –me había dicho Celia– que es la cara más horrible que he visto en la vida. Los ojos rojos, los dientes podridos, negros, la boca torcida, la nariz como rota…

Como algunos otros transeúntes, crucé la calle para no pasar cerca del hombre que duerme en una silla de ruedas, cubierto por una lona amarilla, afuera de la iglesia de San Agustín. Lleva años allí, siempre en el mismo sitio, siempre con un bote de plástico a sus pies para limosnas. Siempre lo evito. Debe tener a alguien que lo mantenga porque nunca he visto a nadie darle ni una sola moneda.

–No, no nada más rota –me había dicho Celia, con cara de horror–, es decir la nariz… sino abierta, como reventada… Y entonces se me quedó viendo y me gritó…

Y había juntado las manos como debe haberlas juntado de niña, como para rezar, temblorosa.

Y entonces yo, ahí, en la esquina de Isabel y Madero, me la encontré de frente.

De pie.

Firme.

Vieja, muy vieja, con la vista fija en ningún lugar como si yo no estuviera allí.

Ahora pienso que no había nadie alrededor: que de pronto la ciudad parecía abandonada, como si se hubiera dado una orden de evacuación y todos la hubieran obedecido. Ya no se oía ninguna música. Ya no había nadie cerca. Ni siquiera se veía al hombre de la lona amarilla. Sólo quedaban las luces encendidas, las cortinas de metal que cerraban los locales y las fachadas de los edificios.

Sólo quedaba la mujer. Su suéter era aún más negro de lo que había imaginado. Sus piernas se veían retorcidas y sucias. Una luz justo detrás de la cabeza hacía que su cabello brillara. Parecía una nube con un rayo adentro.

Y olía… Esto Celia no lo había dicho: olía a carne podrida, a cloaca. Olía a más aún. De niño viví detrás de una fábrica de telas que arrojaba al aire no sé qué cosa, invisible, que se pegaba al paladar y a la garganta y tenía un aroma o un sabor indescriptible, terrible, porque no era un resto de nada vivo. A eso olía la vieja también: a algo que no debía existir y, sin embargo, existía.

Ella me miró, de pronto, y me gritó.

A Celia le había gritado:

—¡Sigues viva! —lo que mi esposa interpretaba, según me había dicho, como un aviso: que estaba destinada a salir ilesa pese a que el temblor destruyó buena parte de la zona donde vivía con su familia. Según ella, la vieja es algo parecido a la Llorona, al Niño del Diablo y a otros personajes de esas leyendas de antes, pero hace algo distinto: da advertencias. Dice profecías.

Y entonces, ahora que yo la tenía enfrente, su cara era más horrible de lo que yo había imaginado, y su nariz estaba abierta como una herida roja, y no voy a decir, no quiero decir, a qué sonaba su voz.

* * *

—¡Sigues vivo! —me dijo a mí también.

Y ahora abrazo a Celia en la calle, pues salió al fin de su oficina, y están por dar las tres. Caminamos en busca de un modo de alejarnos del Centro, y pasamos una vez más por donde estaba el cadáver, y ya no está, y una vez más no digo nada.

No sé si de verdad podemos tener avisos del futuro, si los merecemos, si llegan por alguna razón. Pero sé lo que vi. Y vi lo que vi.

Después de gritarle a Celia, la vieja se alejó de ella caminando para atrás, rapidísimo, sin ver jamás hacia dónde iba. Y después de gritarme a mí, también.

Un paso, otro paso, cada vez más deprisa. En segundos ya estaba en la esquina de Isabel y Tacuba. Luego siguió retrocediendo. Pronto no la vi más. No dio vuelta. Simplemente se metió en una sombra, la que proyectaba algún edificio, y ya no volvió a aparecer. Así había desaparecido, exactamente así, el día en que Celia la vio, poco antes del terremoto.

—Lo único malo —me ha dicho Celia— es que tengo que regresar a las diez porque no terminamos.

Yo esperé en La Blanca hasta que cerraron y me echaron. Luego caminé sin rumbo, como lo hago ahora con ella. El subterráneo ya está cerrado, igual que todos los locales, hasta el último antro y la última cantina. Los autobuses han dejado de pasar. No vemos taxis. Apenas tenemos dinero: la verdad es que realmente no nos alcanzaría para un cuarto de hotel. Los ladrones de ayer −no: de hace dos noches− ya nos habían puesto en este problema antes de que a Celia se le vinieran encima las horas extras, y antes de que apareciera la mujer que camina para atrás.

−Por acá no conocemos a nadie con quien se pueda llegar, ¿verdad? −me ha dicho Celia.

Nosotros vamos hacia delante, aunque no sepamos a dónde, y llegamos a un tramo de acera bien iluminado por luces de color naranja. Hay más de estos tramos cerca de las avenidas grandes.

−Perdón por hace rato −me ha dicho Celia, y yo le he pedido perdón también, y ahora ella me abraza. No le he contado lo que me pasó. No sé si lo haré. Hace cada vez más frío. Y los dos estamos muy cansados. Tengo la esperanza de que podamos hallar algún sitio de esos que aún abren las veinticuatro horas, aunque sea para sentarnos y compartir una misma taza de café hasta que podamos tomar algún transporte. También tengo la esperanza de que Celia y yo estemos equivocados: de no haber visto más que a una loca, tal vez a alguien que me hizo pensar en la historia que acababa de oír, o que perdió el juicio en el terremoto, o cuando le mataron a alguien, o que simplemente tuvo ganas de gritarme lo que me gritó.

—¡SIGUES VIVO! —con una voz como un trueno, con su boca negra bien abierta, y sin decirme qué más va a pasar, si los demás van a seguir vivos también.

EL AÑO DE LOS GATOS AMURALLADOS
IGNACIO PADILLA

Ignacio Padilla (1968) fue parte de la llamada Generación del Crack. Ha sido merecedor de numerosos premios a nivel nacional e internacional, entre los que destacan el Primavera de Novela por *Amphitryon* en el 2000, el Mazatlán por *La gruta del Toscano* en 2007, y el Iberoamericano Debate-Casa de América por *La isla de las tribus perdidas* en 2010. Es miembro correspondiente en Querétaro de la Academia Mexicana de la Lengua. Alguna vez dirigió la edición mexicana de la revista *Playboy*. "El año de los gatos amurallados" obtuvo el Premio Kalpa de Ciencia Ficción en 1994.

Sabían que en invierno tendrían que salir por agua. Hasta entonces habían sobrevivido gracias a un goteo que se filtraba entre las grietas del túnel principal. A medida que aumentaba el frío en el subterráneo, el goteo había menguado hasta sugerir el nacimiento de una estalactita. Y fue precisamente esa imagen lo que encendió la hostilidad una tarde en que los cuatro se habían reunido frente a la clepsidra agonizante. "Nos quedaremos aquí hasta convertirnos en hielo", sentenció Maida. Los demás mantuvieron la vista en el manchón de humedad. De pronto se desprendió del techo un goterón que había tomado horas en crecer. También Maida lo vio desintegrarse sobre uno de los rieles; también ella anticipó la sequedad de sus gargantas mientras el eco de la gota iba a refugiarse en la oscuridad del túnel, donde sólo el mayido de los gatos sabría responder al estertor del agua. La luz trastabilló en la lámpara de gasolina, Íñigo se inclinó para bombearla. Convencida de que su comentario no pasaría a mayores, Maida aflojó los hombros y suspiró.

Se equivocaba: no habían terminado de gemir los gatos cuando Maida sintió los dientes de Roberta clavársele en el antebrazo. Su grito sacudió el eco del agua, los mayidos, el bombeo de la lámpara. "Puta", clamó Roberta con los dientes todavía ensangrentados. "Muérete." Sin alzar los ojos de la lámpara, Íñigo llamó a la calma. "Aquí nadie va a morirse", dijo. Pero sabía que no era cierto: ahí sí que los cuatro podían extinguirse, ahora sí que podían congelarse o resignarse a que sus cuerpos un día fuesen empujados hasta la oscuridad de aquel túnel, del cual ahora volvían a surgir gemidos similares a los de un recién nacido abandonado, como ellos, a su suerte.

Habían entrado en el subterráneo en grupos más o menos nutridos, y llegaron a ser cincuenta. Íñigo había anotado en un cuaderno los nombres de todos ellos, junto a las fechas de sus muertes. Maida y Roberta fueron las últimas en entrar, por los días en que permanecer arriba se volvió imposible para los sobrevivientes más débiles. Los otros se resistieron a aceptarlas con el pretexto de que allá abajo no había sitio ni alimento para restantes fugitivos. Íñigo intercedió por ellas: dos bocas más no harían diferencia. Al final las aceptaron, no sin antes obligarlas a una oprobiosa carnalidad a la que ambas accedieron con tal de no volver arriba. Por un tiempo las mujeres saciaron el apetito de sus salvadores a cambio de agua o de latas de conservas. Luego, aquel trato infamante se revirtió: Maida y Roberta sobrevivieron infértiles a sus amantes, que fueron sucumbiendo a la enfermedad y el hambre.

Sólo al morir el último de ellos, los cuatro sobrevivientes entendieron qué destino esperaba a los cadáveres que habían abandonado en el túnel. Si bien habían notado ya que los mayidos aumentaban día tras día, no supieron cuántos gatos quedaban en el túnel hasta la tarde en que Íñigo y Roberta tuvieron que abandonar el último cadáver en la boca del túnel. Fue entonces cuando una legión de bestias hambrientas se les echó encima como si también ellos estuviesen listos para ser devorados.

Roberta tardó un tiempo en reponerse de la impresión que le provocaron las dentelladas. En la vigilia y en el sueño la asaltaba la sensación de ser devorada por aquellas enardecidas bestias. Maida no desaprovechó la ocasión para escarnecerla, aunque igual evitó acercarse también a la guarida de los gatos. Íñigo, por su parte, se refugió en los brazos del cuarto sobreviviente: un muchacho agreste y mudo que había llegado al subterráneo antes que nadie, quizá incluso antes del temblor. Con su ayuda Íñigo levantaría en la boca del túnel una barricada que protegiese a la contrahecha familia con que lo castigaba el destino.

* * *

Los gatos siguieron multiplicándose. De repente fue preciso reforzar la barricada con lo que hubiera a mano: muebles que habían llegado ahí acarreados por los otros fugitivos, vidrios y plástico arrancados de las antiguas oficinas de la estación, incluso la vestimenta y los recuerdos más privados de quienes ya no estaban en este mundo alimentaron la muralla contra aquella legión felina que no parecía dispuesta a mermar ni en hambre ni en número.

Cuando entendió que sólo él tendría la fuerza y el valor para salir en busca de agua, Íñigo intentó llevarse al muchacho consigo. Fue en vano: no por nada el chico había perdido el habla; si se había refugiado en el subterráneo era porque nada en este mundo le haría volver a la superficie. Maida y Roberta, por su parte, comenzaban a resignarse. Maida tenía una infección en el brazo y se había paralizado. Fue ella la primera en tumbarse en uno de los andenes, y no hubo forma de moverla de ahí. Roberta no tardó en seguirla. En la estación la actividad se redujo al mínimo. De no ser por las embestidas eventuales de los gatos contra la muralla improvisada, se habría dicho que Íñigo y el chico eran los únicos actores de la hecatombe que día con día se escenificaba en el subterráneo.

Finalmente Íñigo se resignó a salir. Cargado de recipientes vacíos, añadió a su ajuar de buhonero un pequeño revólver. Una mañana sacudió al muchacho, le susurró un beso al oído y le prometió regresar pronto. Eso fue todo.

Por suerte para sus ojos habituados a la penumbra, era de noche cuando salió del subterráneo. La ciudad, con todo, bullía. Su tiniebla era la propia de un reino sonámbulo y violento. Parecía que el terremoto acababa de ocurrir, y que en cualquier momento rugiría en cualquier esquina una ambulancia, o las patrullas policiales que en realidad nunca llegaron cuando empezó de veras el caos. A lo lejos se alzaban columnas de humo venidas quizá de incendios que ahora serían menos casuales que antes, probables secuelas de batallas y saqueos.

Le sorprendió descubrir que también los oídos deben reacomodarse a las atmósferas violentas y cambiantes, pues sólo después de un rato comenzó a identificar los sonidos del desorden: el crepitar de llamas, las detonaciones, ráfagas de metralla, gritos, automóviles en marcha seguramente convertidos en tanquetas.

Descendió despacio la escalinata en la entrada del subterráneo. Se sintió ridículo bajando casi a rastras por aquellos escalones otrora recorridos por multitudes que ya desde entonces parecían amenazantes. En su cabeza, sin embargo, sólo quedaba espacio para el rumor alucinado del agua. Una cuerda imaginaria le estrechó el cuello y casi tiró de él para hacerle correr sin rumbo por las calles y sin preocuparse por el escándalo que hacían los recipientes.

Al amanecer alcanzó el desagüe. El flujo se había reducido hasta convertirse en un escupitajo de dos o tres lagunas de espuma turbia. Íñigo se abalanzó sobre la charca más próxima y hundió la boca en la delgada superficie líquida.

Un súbito empujón lo arrancó del paraíso y lo hizo rodar cuesta abajo hasta el lecho del desagüe. Sin pensarlo Íñigo alcanzó el revólver y disparó a una figura que se inclinaba ansiosa a beber en la charca. La criatura gimió hasta quedarse inmóvil. Las manos todavía le olían a pólvora cuando Íñigo comenzó a llenar los recipientes.

* * *

A Íñigo le extrañó el silencio que lo recibió en el subterráneo. Los gatos callaban, quién sabe si muertos o dormidos. Maida y Roberta ya no estaban recostadas en el rincón donde él las había dejado. Ahora estaban de pie en los andenes. No hicieron aspavientos cuando lo vieron aparecer. Actuaron más bien como niñas que acabaran de ver por vez primera a un hombre desnudo. Y así se sintió él: desnudo, sucio.

¿Dónde está?, gruñó Íñigo. Ellas intercambiaron miradas, gesticularon como si desearan parecer solemnes, excitadas de saber que el hombre desnudo sólo requería un empujón para extinguirse. "Tardaste demasiado", espetó Maida señalando con los ojos el túnel amurallado. Íñigo no necesitó más. Su grito retumbó en el subterráneo mientras atravesaba la muralla con su cargamento de agua y heces aún atado a la cintura.

Maida y Roberta vieron desaparecer al hombre desnudo, casi gozaron al oír las dentelladas de los gatos sobre su carne. Volvió el silencio. Maida comenzó a rearmar la barricada mientras Roberta limpiaba en un rincón los restos de sangre y huesos que habían quedado del banquete. Había llegado la hora de hundirse en el sueño de la digestión. Pero ellas, a diferencia de los gatos, sabían que no despertarían de su letargo.

A PLENO DÍA
Rodolfo J. M.

Rodolfo J. M. (1973) es egresado del Instituto Politécnico Nacional en Ingeniería Industrial, pero tiene una doble vida como escritor. Coordinó la antología *El abismo. Asomos al terror hecho en México*. Ganó el Premio Nacional de Cuento Fantástico y de Ciencia Ficción en 2011 por "Presente imperfecto". El relato "A pleno día" fue tomado del volumen *Todo esto sucede bajo el agua*, que obtuvo el Premio Julio Torri en 2008.

La noticia

El día de ayer, la Ciudad de México vivió el noveno asalto bancario en lo que va del mes. Alrededor de las ocho de la mañana, en la colonia Tránsito, tres hombres vestidos con abrigos negros, sombrero y gafas oscuras asaltaron las cajas cinco, siete y once de la sucursal Banamex localizada en calzada de Tlalpan y avenida del Trabajo. El saldo del robo fue un millón trescientos cuarenta mil pesos, y aunque fue recuperado en su totalidad, hubo cuatro personas muertas: un civil y los tres asaltantes. Un usuario que estaba a punto de entrar al banco se percató del robo y avisó a un policía auxiliar que se encontraba cerca. Durante la persecución cayeron los tres delincuentes, uno de ellos frente a las puertas del banco, los otros dos a la entrada de un paso a desnivel. Junto a los cuerpos caídos, regados a lo largo de la escalera del paso a desnivel, quedaron decenas de billetes de quinientos, doscientos y cien pesos. Al otro lado de la calzada de Tlalpan se encontró un automóvil Galaxy color gris, sin placas y con las ventanas y el parabrisas cubiertos con cinta de aislar; se cree que era el vehículo en el que pensaban huir. No es el único detalle extraño. Algunos testigos hablan de humo en el banco y en el paso a desnivel, mientras que elementos de la Cruz Roja declaran que los cadáveres presentaban graves quemaduras e incluso un estado de putrefacción más o menos avanzado. El Servicio Médico Forense de la policía judicial desmintió los comentarios diciendo que uno de los asaltantes padecía una grave infección que carcomía su pierna y que seguramente eso fue lo que los enfermeros confundieron con quemaduras.

Los detalles

Lo más importante era cuidar los detalles. Prevenir. Ése era el secreto. Ninguna otra cosa sino la falta de precaución fue lo que los puso en esa situación de todo o nada. Nunca previeron que la ciudad cambiaría en forma tan drástica, ni que a ellos les resultaría tan difícil adaptarse. Ya les había sucedido algo así. En España, durante la Guerra Civil. Su inexperiencia y el ambiente de hostilidad les impidieron guardar las apariencias. Pero supieron actuar a tiempo, y así fue como se colaron en los barcos del exilio, como llegaron a un país que desconocían por completo y como se establecieron en él. Ahora las cosas eran distintas, no eran perseguidos, pero tampoco había barco que les permitiera escapar, y lo peor: se enfrentaban a una lenta corrosión que los había desgastado física y mentalmente. Jordi se encontraba enfermo desde hacía meses, no paraba de toser y su piel lucía más pálida de lo acostumbrado. Era el precio por su forma de vida, le gustaban demasiado los bares, las copas, la *bohème*. A Enrique le resultaba cada vez más difícil conseguir empleo. No puedo acostumbrarme, solía decir, deprimido y amargo. No era lo único que le resultaba difícil: tenía meses sin salir a la calle más que para comer; el resto del tiempo, cuando no estaba dormido, lo pasaba sobre un sillón desfondado, mirando en silencio las paredes. Manuel era el único que tenía trabajo, y el de aspecto más joven, aunque en verdad fuera el más viejo de los tres. Pronto él también comenzaría a desmoronarse.

En mayo de 1939, cientos de españoles republicanos se embarcaron en el *Sinaia* rumbo al exilio en México. Manuel, Jordi y Enrique viajaban en las bodegas del barco, y a pesar de que ignoraban todo sobre el país que los recibía y de que evitaban en lo posible relacionarse con otros exiliados, una vez en el puerto de Veracruz fue sencillo llegar a la Ciudad de México. Ahí la vida nocturna los recibió sin reserva: bares, casas de citas, salones de baile, billares, en ocasiones incluso fiestas de alcurnia. El dinero y la vivienda no eran problema, sus habilidades les permitían llevar una sosegada vida que implicaba algunos negocios no precisamente legales pero tampoco peligrosos. Era un sueño realizado; las cosas, más que fáciles, se les presentaban placenteras, a su favor. La droga lo cambió todo. Una vez que invadió el mercado, el mundo subterráneo se volvió más brutal y codicioso. Nuevas bestias poblaron la noche. Quizá entonces debieron hacer algo, pensó Manuel, regresar a España. Pero no hicieron nada, y la inmovilidad fue creciendo en ellos como un tumor que pronto habría de tragarlos. Ahora no podían esperar más tiempo, tenían que salir de ahí de una vez por todas.

Lo cierto era que cualquier opción les exigía lo mismo: dinero. Dinero. Dinero.

Testimonio (Fernando Terán, jubilado)

Sí. Eran tres hombres. Pero no los vi entrar, yo estaba en la fila, ocupado en mis propios asuntos, ¿sabe? No me di cuenta de nada sino hasta que se escuchó un grito del asaltante. ¡Todos al suelo!, dijo. Eran como de película, llevaban abrigos, sombreros y lentes. Y los tres iban armados. Yo fui el primero en tirarse. Todos obedecieron, menos ese hombre que empezó a llorar y a gritar que no lo mataran, que tenía hijos. Entonces el que tosía le disparó. A la cabeza. Las mujeres chillaron, ¿sabe? Hasta los hombres. Yo apreté la cara contra el suelo y me cubrí la cabeza con las manos. Los asaltantes comenzaron a discutir. ¡A callar!, gritó uno. Recuerdo que el que parecía jefe le dijo al que tosía: ¿Pero estás idiota? Pensé que iban a pelear entre ellos, ¿sabe? Tuve mucho miedo. No, yo no vi humo. Me había cubierto la cabeza, ¿recuerda?

Testimonio (Irma Negrete, ejecutiva de cuenta)

Aquí entra gente de todo tipo, somos una empresa de amplio criterio. Pero si los hubiera visto… daban mala espina. Se veían así como raritos, completamente de negro y con abrigos. ¡A las ocho de la mañana! Se notaba también que eran extranjeros, de seguro españoles. Por el acento. Uno de ellos estaba muy flaco y no dejaba de toser… aunque la verdad es que los tres parecían enfermos. Lo del humo es cierto y el olor. Todo el banco se llenó con ese humo apestoso. Al principio pensé que era por el disparo; pero no, eran ellos, salía de entre sus ropas. Como si se estuvieran quemando por dentro.

EL VERDADERO PROBLEMA

No fue fácil convencerlos. Tanto Jordi como Enrique coincidían en que no necesitaban dinero. Podían regresar a España en la misma forma en que habían llegado: ocultos en la bodega de un barco. Pero no era tan sencillo, explicaba Manuel. Las carreteras y los puertos estaban llenos de retenes con perros entrenados para detectar droga. No pasarían una aduana de tal naturaleza, los perros podían olerlos a varios metros de distancia, y de hacerlo, se alterarían más que con un cargamento de cocaína. Era exponerse demasiado, insistía Manuel. Y su cualidad más importante era la discreción. La capacidad de pasar desapercibidos cuando era necesario. Bastaba con que se excedieran un poco en sus hábitos alimenticios, o que abusaran de la ingenuidad de la gente, para que llamaran la atención y terminaran perseguidos. Arriesgarse a viajar sin un quinto sólo aumentaba la posibilidad de un incidente que los pondría a descubierto. Fue el último argumento de Manuel lo que les convenció: No sólo se trataba de largarse. ¿Qué iban a hacer después? Cuando llegaran a España, o a donde decidieran ir. ¿Esconderse en casas abandonadas, en cementerios, en alguna cueva, robar a los transeúntes? No. Manuel no pretendía vivir como mendigo. En cambio, con el dinero suficiente, no sólo viajarían sin problemas, sino que además cada uno podía tomar su parte y hacer con ella lo que le viniera en gana. Después de todo el robo no sería problema, sólo se evitan dos de cada diez, según los reportes de la propia policía, y siempre es debido a los errores de los asaltantes.

El verdadero problema era otro. Pero Manuel ya lo tenía previsto.

Testimonio (Felipe Galeana, policía)

No señor. Yo diría más bien que fue el miedo. Si las balas ni les hacían nada, era como si las absorbieran. El primer individuo cayó luego luego saliendo del banco. Yo todavía ni cortaba cartucho. Los otros dos gritaban y gruñían como animales. Y soltaban humo. Por eso procedí a gritarles que se detuvieran y luego disparé. Pero seguían corriendo. Querían llegar al paso a desnivel. Parecían tener más miedo que yo, un miedo así, muy fuerte. Se lo digo porque ni siquiera se defendieron. Los tres iban armados, pero ninguno me disparó. Yo no les importaba.

Testimonio (José Luis Tagle, muertero)

Así es la chamba. Ya sabe: asesinatos, suicidios en el metro, atropellados, accidentes de todo tipo. A nosotros nos toca lo peor. Tenemos que limpiar y recoger el cochinero: sangre, tripas, mierda… Todos los días antes de salir a trabajar nos preparamos psicológicamente, y sí, medio te acostumbras. Pero no te puedes preparar contra lo inexplicable… ¿Se acuerda de los ladrones? Dijeron que los mataron a balazos, ¿verdad? Falso. Ninguno tenía herida de bala. Estaban quemados, pero no por fuera, era como si las tripas se les hubieran calentado hasta reventar. Cuando nosotros llegamos todavía soltaban humo. Además apestaban horrible. Si hasta cerraron dos días el paso a desnivel. De eso no han dicho nada. Yo creo que debieron tragarse una cápsula con veneno, de esas que usan los terroristas para que no los obliguen a hablar. Piénselo, dicen que eran españoles, a lo mejor hasta eran de la ETA.

La noche previa

Jordi consiguió el auto: un Galaxy modelo noventa y dos. Enrique se encargó de las armas: tres pistolas treinta y ocho milímetros. El Banamex estaba a dos cuadras de la fábrica donde trabajaba Manuel como velador; sabía por sus compañeros de trabajo que no había policías y que por la mañana, en especial los días que no coincidían con la quincena, se encontraba casi vacío. Además, y para su fortuna, frente al banco había un paso a desnivel que llevaba justo al otro lado de la calzada de Tlalpan, perfecto para escapar.

Repasaron los detalles: saldrían en el auto a las siete de la mañana. Se estacionarían justo afuera del paso a desnivel, y aprovechando la oscuridad del túnel, cruzarían hasta el banco. Ahí, uno de ellos se encargaría de cuidar la entrada mientras el segundo controlaba a la gente y el otro se apoderaba del dinero. Tenían que ser rápidos. No más de cinco minutos, había dicho Manuel. Después cruzarían de nuevo el paso a desnivel y regresarían a casa en el Galaxy.

Contra el sol, Manuel consiguió tres largos abrigos negros, sombreros de ala ancha del mismo color, guantes y gafas oscuras. Disfraz y protección. El parabrisas y las ventanillas del auto irían cubiertos con cinta de aislar, salvo pequeños orificios que les permitirían ver el camino. La verdad es que no estaba seguro de contar con protección suficiente; ni siquiera tenía idea de cómo o cuánto tardaría en afectarles la luz. ¿Bastaba con cubrirse la piel? ¿Tenía que tocarlos de lleno? Tal vez habían organizado su propio suicidio. Pero era mejor no pensar en eso. Además había otro tipo de luz, una que se encendió en el fondo de las miradas de Jordi y Enrique desde que les habló del asunto. Una luz que se agitó primero con timidez y que luego iluminó todo a su alrededor. Sólo por eso valía la pena arriesgarse.

Faltaba un par de horas para que amaneciera. Un poco más para ponerse en camino. Era una hermosa madrugada.

NADIE LO VERIFIQUE
Gonzalo Soltero

Gonzalo Soltero (1973) es autor del libro de cuentos *Crónicas de neón y asfalto*. Con *Sus ojos son fuego* ganó el Premio Nacional de Novela Jorge Ibargüengoitia. Obtuvo también el Premio Banamex a la Evolución en Internet, y en otra ocasión, el que otorga un *pub* en Londres por comerse el *fish and chips* más grande. Trabajó un tiempo en la Universidad del Claustro de Sor Juana, lo que le permitió escribir "Nadie lo verifique", texto tomado del volumen de relatos *Invasión*, editado en 2007.

mas tú, de lo que callé
inferirás lo que callo.

JUANA INÉS DE LA CRUZ

Cuando Ale Varona abrió la puerta, su oficina apareció impecable, casi fantasmalmente limpia. Sobre el rectángulo brillante de formica del escritorio se recortaba otro rectángulo más pequeño y blanco. Era un oficio impreso sobre papel reciclado en que se leía:

A. Varona
Responsable del Área de Patrimonio y Memoria
Presente

Por este medio quisiera darle la bienvenida a este nuevo centro académico. Le manifiesto mi apoyo cabal para el cumplimiento de su labor aquí. Como sabrá, su cargo y mi traslado interino de otra institución a ésta se deben a una reciente alianza: la expropiación del inmueble por parte del gobierno y la inversión de una importante compañía trasnacional que ha decidido comenzar a invertir en el sector educativo.

Le recuerdo que su misión principal es encontrar la ubicación exacta de la celda que ocupó Sor Juana Inés de la Cruz, para incorporarla como atracción en la ruta del nuevo Corredor Turístico del Centro Histórico; no olvide por lo tanto que su contratación tiene que ver directamente con la captación de ingresos. La certeza de la celda facilitaría la obtención de patrocinios, recursos públicos y otros fondos. Así que descúbrala, no importa el método que utilice. Y sobre todo, si puede desenterrar algo sobre la vida sexual de la monja, mejor, eso seguro vendería mucho.

Atentamente,

H. Carrillo

Director de Control y Optimación de Recursos

P. D. Me parece siempre pertinente aclarar que tanto el término "optimizar" (por ejemplo, en minimizar y maximizar) como "optimar" (por ejemplo, en mejorar) son correctos. He preferido "optimación" para mi cargo, pues al utilizar menos letras y ahorrar una sílaba entera, representa mejor mi misión en este lugar.

Varona suspiró ante semejante bienvenida. Decidió salir a dar una vuelta por el inmueble cuya memoria ahora le tocaba en responsabilidad. Salió de su oficina en el extremo poniente del edificio al gran claustro del ex convento. Caminó por debajo de los arcos que bordeaban el patio. El calor de julio disminuía bajo su sombra. En el pequeño jardín a su izquierda, donde se sofocaban algunos naranjos y setos, vio un par de gatos tumbados bajo una de las bancas de piedra pintadas de ocre.

En la siguiente esquina, unos cuantos peldaños descendían a uno de los espacios que conservaban los vestigios de cuando el edificio era religioso. Bajó al interior del recinto; húmedo, casi frío, formado por silenciosos volúmenes de piedra a los cuales le correspondía hacer hablar. ¿Podría ser ésta la celda original?

—Buenas.

Varona se sobresaltó ante la voz, aunque era casi un susurro. La silueta de un hombre bajito se recortaba contra el umbral de la puerta. Vestía un traje blanco impecable, era bastante mayor, y sonreía.

—¿Le comió la lengua el ratón? ¿O hizo voto de silencio? Usted debe ser la nueva adquisición.

—Ale Varona, responsable de Patrimonio y Memoria —dijo extendiendo la mano.

—¿Qué no era eso una dirección? —preguntó el hombre al estrechar con su manita regordeta la mano que se le tendía.

—Sí, pero redujeron el cargo. Para reducir costos, me imagino.

—O sea que conservamos el área, pero hemos perdido la dirección…

—¿Y usted es?

—Arturo Román, para servirle.

—¿El doctor Arturo Román P.? —El anciano asintió con un leve movimiento de cabeza—. Admiro muchísimo su trabajo en la restauración de este ex convento —ahora las dos manos de Varona apretaban vigorosamente la del doctor, que se zafó con delicadeza.

—Me contaron a qué viene, joven. ¿De veras cree poder encontrar la celda de Sor Juana?

—Hay posibilidades. Justo en mi tesis…

—¿Va a desmontar el Claustro?

—No será necesario. Tal vez sólo removerlo un poco.

El doctor Román asintió nuevamente.

—Yo ya voy de salida, joven, pero si necesita algo, avíseme. Tengo que terminar de mudar mi área al nuevo sitio que me han asignado, pero mientras déjeme mostrarle algo.

El periodo vacacional y los cambios recientes hicieron que no se cruzaran con nadie, aparte de algunos gatos más. Atravesaron en silencio dos patios. El primero tenía una fuente en el centro. El segundo era más grande, todo de piedra, con algunos cimientos caprichosamente esparcidos por el piso.

Mientras caminaban, a Varona le pareció ver escenas de la vida de Sor Juana ahí dentro: escribiendo en su celda, siendo interrumpida por otras monjas, dirimiendo pleitos entre ellas, escuchándolas cantar. Después de cruzar unas puertas de madera labrada entraron al vestíbulo de un recinto silencioso. El doctor Román se detuvo a la mitad.

—Aquí donde estamos parados encontramos sus restos, justo en el centro del coro bajo de este ex templo. Bueno, los presuntos restos.

—¿Presuntos?

El doctor Román levantó los hombros.

—¿Qué quiere que le diga? Yo estoy seguro, pero armaron tanto irigote cuando di con ellos, que mejor les digo "presuntos" y que me dejen de molestar. Por eso todavía los tenemos guardados para estudio.

–¿Tienen qué? –preguntó Varona con incredulidad.

–Los huesos de las monjas, catalogados. Bueno, a decir verdad, se desordenaron un poco ahora que los de intendencia nos cambiaron de oficina, pero…

–¿O sea que tienen a Sor Juana en una cajita?

–Ay, joven, parece usted principiante. Sor Juana está muerta. Lo que tenemos son los restos óseos de las monjas que vivieron en este convento.

–¿Y ahí, bajo esa lápida?

–Me preocupa que dedicándose a esto no haya aprendido a leer entre líneas. ¿Qué dice ahí?

–"En este recinto que es el coro bajo y entierro de las monjas de San Jerónimo fue sepultada Sor Juana Inés de la Cruz el 17 de abril de 1695."

–Exacto, obituario escrito por Francisco de la Maza.

–¿Y entonces?

–¿Cómo que "y entonces"? No dice "Aquí yace", ¿o sí? Sólo dice que ahí fue sepultada. Francisco de la Maza escogió bien las palabras. No hay nada falso. Pero esto tranquiliza a los seguidores de Sor Juana y nos permite a nosotros tener los huesos en estudio. A veces la única manera de acercarnos a la verdad es fomentando ciertas inexactitudes.

A. Varona
Responsable del Área de Patrimonio y Memoria
Presente

Por este medio le conmino a suspender toda labor de investigación diferente a la que se le encomendó, a menos que compruebe usted que ésta pueda generar: *a)* ingresos o *b)* excelencia.

Tenemos metas muy claras que cumplir y no podemos desperdiciar tiempo ni recursos (y por si no lo sabía, usted y su conocimiento son ambos recursos de la institución.)

Asimismo le solicito su cooperación para desmentir todos esos rumores sobre las apariciones del fantasma de Sor Juana que han proliferado a partir de que usted llegó. Me preocupa que en vez de encontrar la ubicación concreta de un espacio físico esté usted reviviendo a un espectro. No podemos tolerar semejantes supercherías subdesarrolladas.

Además y por la misma causa, ahora la gente de intendencia se niega a asear las instalaciones del Colegio de Gastronomía y han comenzado a proliferar las cucarachas. Por esta razón le exijo que aporte una solución a la brevedad para detener semejantes murmuraciones.

Atentamente,

H. Carrillo

Director de Control y Optimación de Recursos

Que si soy mujer
nadie lo verifique

¿Era un punto o un acento lo que había sobre la primera *i*? Varona estudiaba la inscripción en cuclillas sobre una pila de yeso y restos de pintura descarapelada.

—¿Sigue usted rascando por acá? Ya es tarde, joven, sólo quedamos los gatos y nosotros dos. Si Carrillo se entera de lo que está haciendo en este salón lo corre de inmediato. No olvide que en un par de semanas comienzan las clases.

—Carrillo nunca sale de su oficina, pero mire lo que acabo de encontrar, doc.

El arqueólogo se acomodó los lentes sobre la nariz y observó la pared desnuda que contenía la inscripción.

Que si soy mujer
nadie lo verifique

—Extraño, los alumnos haciendo este tipo de vandalismo, es el primero que me toca ver.

—Los alumnos no fueron, esto es anterior. Muy. Acabo de voltear esta piedra, lleva por los menos dos siglos mirando hacia dentro.

—¿Quiere decir que sería una inscripción del siglo XVIII?

—O previa. ¿Le suena este verso: "Si te labra prisión mi fantasía"?

—No olvide que el convento original del siglo XVI en el que vivió Sor Juana se perdió a causa de un terremoto. El que hay ahora es del siglo XVIII, por lo que no puede hallarse la celda original. Ese proyecto de Carrillo no tiene pies ni cabeza.

—Ya lo sé, pero es muy probable que después del temblor hayan usado las mismas piedras para reconstruir. Era mucho más fácil y barato que traer nuevas desde una cantera. De ser así no es tan descabellado pensar que las hayan reinstalado cerca de su lugar original. Y en todo caso, son los mismos vestigios materiales.

—Creo que se le está calentando la cabeza, joven. ¿Está usted insinuando que esos versos son de…? ¿Está implicando que Sor Juana Inés de la Cruz Ramírez de Asbaje,

Décima Musa, Fénix de América, se dedicó al más vulgar vandalismo?

—Ningún vandalismo, pero si escribió aquí estos versos es porque no podía arriesgarse a que los descubrieran. Imagine cuál hubiera sido la reacción de las autoridades al descubrir estos escritos. Podría tratarse de la poesía más mística que nunca escribió. Por no decir erótica. Recuerde qué tanto sabía de arquitectura. Pudo labrarla sobre las piedras de su celda, y luego ocultarla tras una capa de yeso que ella misma colocaba y dejaba secar tras los tomos de su biblioteca.

—No era la única que sabía escribir.

—¿Qué otra monja haría grafitis como éstos?

El doctor Román quedó pensativo un momento y luego preguntó:

—Eso que hay sobre la *i,* ¿es un acento o no?

A. Varona
Responsable del Área de Patrimonio y Memoria
Presente

Los rumores de las apariciones han comenzado a generar una histeria colectiva que se transmite incluso a personal externo a la institución. Cada vez que vienen los fumigadores de una nueva compañía por el problema de las cucarachas, apenas empiezan el trabajo cuando lo abandonan de inmediato y se niegan a volver. A pesar de que me he negado a pagar, pues no han proporcionado los servicios contratados, desperdicio demasiado tiempo en el teléfono con ellos y en el directorio quedan muy pocas compañías por llamar. Así que de no hacer algo con respecto a este problema, habré comprendido que el problema es usted.

Atentamente,

H. Carrillo

Director de Control y Optimación de Recursos

La espátula se le cayó de las manos, rebotando estrepitosamente contra el cascajo que cubría el suelo.

—¿Se asustó otra vez, colega? —profirió la sombra que se recortaba a contraluz en el umbral de la puerta—. ¿Será que usted también está creyendo ya en las apariciones?

—Ni creo en ellas, ni se me ha aparecido Sor Juana, y eso que la estoy buscando y paso aquí más tiempo que nadie. Son puras patrañas. Aunque tal vez debería creer en ellas, ya que me nombraron responsable.

—¿Y por qué tanta incredulidad? No olvide que estamos en el Centro, aquí todo el mundo viene a manifestarse cuando está inconforme. ¿Por qué no habría de manifestarse un espíritu que siempre vivió aquí?

—Doctor, no estoy para bromas.

—¿Mal día?

—Ojalá fuera eso. Mi investigación no avanza. Necesito más tiempo, asistentes.

—¿Es cierto que ya se armó un catre y está durmiendo aquí?

—Eso de dormir es un decir.

—¿Por qué no se va a su casa a descansar? Aunque sea el fin de semana.

—No tengo tiempo. En cuanto empiecen clases no podré ingresar a los salones. Y no me cabe duda que ahí detrás hay más versos de ella, susurros entre las piedras, palabras que arden en secreto.

—Creo que ya le dio fiebre.

—Pero en lugar de recursos lo único que recibo son oficios y formatos de planeación.

—Ah, sí, esas tablas llenas de cuadros que se prolongan al infinito. Ya ve, seguimos enclaustrados, sólo que ahora son otras celdas las que nos encierran. Mire a la misma Sor Juana, estuvo durante siglos como yo la encontré: en un sarcófago, justo al centro del soto coro, que a su vez estaba en un ex convento en pleno Primer Cuadro. Una *matrushka* de rectángulos.

—El mundo no es cuadrado, ni está fijo.

—Sí, sí, ya sé, y sin embargo se mueve. Pero precisamente de eso se trata. Le vengo a proponer algo. Causar algo de movimiento para lograr cierta quietud. Se trata de restaurar a Sor Juana en su cuadro original.

—Ahora el misterioso es usted, doctor. ¿Qué está tratando de decirme?

—Usted no cree en aparecidos, ¿verdad?

—No.

—Eso tendría en común con Carrillo. Pero ojo, los fantasmas y los oráculos son abstracciones, cosas que se alejan de la carne, de lo que somos. Él tampoco cree en espíritus; pero sí en fijar la realidad y predecir el futuro a través de sus formatos, ¿no? ¿Qué visión es más mágica? —Varona se levantó de hombros y respondió.

—Ninguna de las dos funciona.

—Cuánto escepticismo, joven. Cada época tiene su propia visión mítica, sus propios oráculos. Si las cosas suceden o no, a veces solamente depende de cuánta gente crea en ellas.

—¿De veras cree que Sor Juana se aparece?

—Estoy por retirarme, colega, pero si supiera las cosas que he visto. Llevo mucho tiempo por aquí, y también tengo mis diferencias con el nuevo rumbo y administración que se han encaramado sobre este lugar. Por eso creo que tengo una última misión que cumplir; bueno, más bien, tenemos.

—Dígame.

—Nada más que haga lo que le toca.

—¿Espantar a las cucarachas?

—Revise sus fuentes. Y tenga presente que busca dos cosas: los límites originales del convento y los rumores de las apariciones.

A. Varona
Responsable del Área de Patrimonio y Memoria
Presente

Permitiendo la posibilidad (como corresponde a cualquier mentalidad racional y abierta), de que las "apariciones de Sor Juana" sean un fenómeno que verdaderamente esté ocurriendo, me permito señalar lo siguiente:

1) Que si han de seguir, exijo sean programadas en horarios fijos y con los formatos de planeación correspondientes, para evitar que estorben el aseo y las fumigaciones.

2) A la vez y para fomentar las sinergias y procesos transversales entre distintas áreas, el fantasma de la monja deberá por lo menos espantar también a las cucarachas, porque ya no hay quien las aguante.

3) Que también piense cómo lograr que sea un atractivo más en la ruta del Corredor Turístico. Si hemos de tenerla por aquí, habrá que considerarla también un activo de la institución.

4) Que de no llevarse a cabo las disposiciones anteriores, serán sancionados ella y usted, pues su memoria pertenece a su área.

Atentamente,

H. Carrillo

Director de Control y Optimación de Recursos

—¿Y?

—Investigué los rumores. Son más bien recientes, inician en el siglo XIX y se mantienen casi cien años, pero luego desaparecen.

—Es decir, en el periodo entre que se desamortizó este convento y lo restauramos.

—Sí, más o menos ésas serían las fechas. ¿Por qué, doctor? Ahora me va a decir que usted capturó al fantasma durante la restauración y lo tiene por ahí catalogado.

—Cuando llegamos Sor Juana estaba entre un hotel de paso y una vecindad. A partir de que restauramos este edificio, restauramos también su memoria. Poco después, comenzó a vivir en una universidad, ¿la puede imaginar más feliz?

—¿Y entonces por qué ahora volvió a manifestarse? ¿Tampoco le gustan los formatos de planeación?

—No va por ahí, joven, pero tampoco debe extrañarle. Cuando una monja hacía un voto de clausura, se encerraba para no salir más del convento. Ni siquiera después de muerta. Sor Juana debe permanecer siempre donde juró estar enclaustrada.

—Pero, ¿cómo va a tener descanso si el lugar ya no es religioso?

—El diablo está en los detalles. Sor Juana no entró a San Jerónimo por razones religiosas, ¿o sí? Pero un voto es algo distinto. Es dar la palabra. Y si algo nos ha dejado Sor Juana es su palabra. En realidad sólo se ha manifestado en dos ocasiones, y por una causa común: cuando se ha profanado este edificio.

—¿Ve lo que le decía de los formatos?

—No se distraiga. La primera fue cuando este lugar dejó de ser un convento, lo que era cuando ella vivió y murió aquí. Al volverse cuartel militar comenzaron las apariciones y siguieron durante los diversos usos del predio. Pero después, dentro de la universidad, cumplió no sólo su voto sino también una de sus principales aspiraciones. Con las primeras clases las manifestaciones quedaron en pura leyenda.

—¿Y entonces por qué la tenemos de vuelta?

—¿Cuáles eran los límites originales del inmueble?

—Actualmente el ex convento de San Jerónimo ocupa una cuadra entera, bordeando con las calles de San Jerónimo, 5 de febrero, Izazaga e Isabel la Católica, pero no siempre midió lo mismo —recitó Varona—. Comenzó en lo que ahora es su extremo oriente y de ahí se fue expandiendo hacia el poniente.

—Exacto, colega. El extremo que ahora bordea con Isabel la Católica, como se puede ver por la altura y el estado de la construcción, no pertenecía al convento original, es un agregado posterior. Ahí está ahora mi oficina y por lo mismo, los restos de Sor Juana. Afuera de lo que originalmente fue este edificio; un quebrantamiento a su voto.

—¿Y ahora qué toca?

—Lleva mucho tiempo sin acatar a Carrillo, joven. Esto podría costarle el empleo. No podría seguir con su investigación.

—De cualquier forma no puedo seguir con ella. Las clases comienzan pasado mañana. Además, en el caso de Sor Juana, un acto de rebeldía equivaldría a un acto de reivindicación.

Ambos guardaron silencio un momento.

—¿De dónde sabemos más de Sor Juana a partir de su puño y letra?

—De la *Respuesta a Sor Filotea*.

El doctor Román inclinó levemente la cabeza.

—No me equivoqué respecto a usted, colega. Ahí está todo. Atienda con cuidado y proceda. Mucha suerte.

A. Varona
Responsable del Área de Patrimonio y Memoria
Presente

Aunque la solución que propuso ha funcionado, he de manifestar mi sorpresa e inconformidad. No puedo comprender cómo al reubicar la oficina de Antropología dentro del aula número 14 se han detenido por completo las apariciones.

Me sigue pareciendo inadmisible como solución, pues son usos incompatibles del espacio y se pierde una rentabilidad considerable en metros cuadrados. Como usted proporcionó la solución, no puedo sino confirmar lo que desde el principio sospechaba: usted estaba detrás de semejante superchería, por lo que le exijo que justifique la solución en el formato correspondiente, y que haga una cita cuanto antes conmigo para tomar las medidas pertinentes al respecto.

Atentamente,
H. Carrillo
Director de Control y Optimación de Recursos

H. Carrillo
Director de Control y Optimación de Recursos
Presente

Me he despedido ya de los sitios que se me han vuelto tan entrañables en el breve lapso que aquí laboré: el Patio de la Fundación, el Ex Templo, el Soto Coro, el Patio de las Novicias, el de los Gatos. Entregué esta carta a su secretaria calculando mis pasos con el tiempo que tardará usted en leerla. Atravieso ahora el centro del Gran Claustro. Usted se aproxima al final de estas líneas, yo a la puerta que da salida a San Jerónimo.

A veces la única manera de llegar a un destino es tomar la ruta que apunta en dirección contraria. Sor Juana ingresó al convento que había en este edificio porque quería estudiar y, por ser mujer, no le era permitido. Sólo al sembrarse entre estos muros durante cuatros siglos logró finalmente verse inscrita en una universidad. Hay respuestas que no caben en una celda, especialmente en las de sus formatos. Para cuando termine de leer, habré cruzado el umbral de vuelta a la calle, la vida, el mundo.

ESPEJOS
Bibiana Camacho

Bibiana Camacho (1974) es ex bailarina y encuadernadora. Su novela *Tras las huellas de mi olvido* fue finalista del Premio Antonin Artaud. Fue becaria del FONCA y actualmente es miembro del Sistema Nacional de Creadores de Arte. Utiliza el nombre de su abuela como pseudónimo porque siempre le pareció un gran personaje literario. "Espejos" fue extraído del volumen de cuentos *Tu ropa en mi armario*, publicado en 2010.

Alguien tenía que hablar con los dueños del edificio por la falta de mantenimiento y la molesta escasez de agua. Los vecinos decidieron que yo era la indicada para hacerlo en nombre de todos y nadie quiso ayudarme.

Llamé varias veces durante una semana pero no atendieron el teléfono. No tenía intención de trasladarme desde el sur de la ciudad a la colonia San Rafael, en la calle Rosas Moreno. Era un rumbo que ni siquiera conocía, pero luego de varios intentos fallidos en el teléfono decidí cambiar la estrategia: me aventuré un sábado a medio día. Me trasladé en metro hasta la estación San Cosme; en cuanto caminé buscando el número, me sentí incómoda, ¿cómo era posible que los dueños de un edificio en una colonia tranquila y próspera vivieran en un sitio tan deteriorado? La casa de los dueños parecía pequeña, modesta y muy antigua. Toqué el timbre varias veces antes de que una mujer malencarada abriera la puerta.

—Busco a los Katerinov.

—Pase.

Me condujo a través de un pasillo largo y angosto, cuyos muros estaban tapizados de espejos sobrepuestos. Nuestros reflejos distorsionados se confundían y parecíamos una misma persona hecha de retazos. Dimos vuelta en un lugar donde no distinguí ninguna puerta. Llegamos a una sala amplia con piso de madera. Había varios sillones de terciopelo rojo estilo Luis XVI, un par de mesas con superficie de vidrio y ningún adorno. Las paredes, también cubiertas por espejos, parecían no delimitar el espacio.

La sirvienta me condujo del brazo y me sentó en un taburete pequeño e incómodo entre dos sofás. Desapareció atrás de mí. En su ausencia escuché golpeteo de trastes. La cocina debía estar cerca, pero yo sólo veía espejos y mi reflejo en ellos.

Poco después regresó con una charola en la que había fruta picada, carne seca, un vaso de leche y pan.

–Sírvete. Los señores no tardan –dijo mientras señalaba la charola que depositó sobre el suelo, como si fuera para un animal. Cuando quise reclamar, la criada había desaparecido por otro muro de la habitación donde tampoco distinguí ninguna abertura. Permanecí quieta en espera de ruidos: el rechinido de una puerta, voces o pasos. Como no escuché nada me levanté y recorrí la sala. No encontré el lugar por donde entramos, ni por donde la sirvienta iba y venía. Rodeé la habitación acariciando los espejos con mis dedos, tratando de hallar una salida. De pronto me pareció percibir un movimiento que se desvaneció casi de inmediato. Di la vuelta y miré en todas direcciones sin encontrar otra cosa que no fuera mi monótono reflejo distorsionado.

Me senté en un sofá al lado del taburete y, con el pie, empujé la charola debajo de una mesa. Cuando levanté la vista tenía enfrente a una mujer pequeña y canosa que me tendía la mano:

—Buenos días. ¿Cómo estás? ¿No te gustó la comida?

—No tengo hambre, gracias.

"Y aunque la tuviera no me comería esa porquería", pensé; mientras buscaba en los muros el lugar por el que la mujer habría entrado.

—Yo soy la señora Katerinov. Usted es una de nuestras inquilinas, ¿verdad?

—Sí. Siento mucho molestarla, pero tenemos algunos problemas. La limp...

—Perdone que la interrumpa, pero no quisiera que hablara del edificio si mi esposo está ausente. ¡Katerin! —gritó tan fuerte que los espejos se estremecieron.

La casera me escrutaba de arriba abajo, como si yo fuera un fenómeno de circo. ¿Qué tanto me veía esa bruja de nariz aguileña, labios delgados y ojos pequeños?

—Tienen muchos espejos.

—Mmmh, son lindos, ¿no crees? Así nunca olvidamos quiénes somos.

—Sí, no lo había pensado de ese modo.

—¿Cómo te llamas?

—Erika.

—¿Qué departamento ocupas?

—El G.

Entonces se levantó, dijo que iba a buscar a su marido y desapareció entre los espejos. Me acerqué al sitio por el que se marchó y, mientras empujaba los cristales en busca de una puerta que no hallé, un hombrecillo pequeño, delgado y canoso, que no supe de dónde salió, me tendió la mano:

—Así que usted es Erika. ¿No le gustó la comida? —dijo mientras miraba la charola debajo de la mesa.

–No tengo hambre, gracias.

–Ahora viene la señora para que podamos hablar.

Me sonreía cordial y parecía más accesible. Igualito que su mujer; la única diferencia perceptible era el cabello corto y las orejas grandes y puntiagudas.

Estaba espantada, los habitantes de la casa parecían moverse con soltura a través de los espejos donde yo no encontraba puerta o abertura alguna. Pregunté cualquier cosa para distraer mis temores.

–Nunca había escuchado el apellido Katerinov, ¿es de origen ruso?

–Sí, efectivamente. Nacimos en un pueblo cercano a Moscú, pero no tiene caso que le diga el nombre; seguramente ni siquiera sabrá dónde se encuentra.

Pues no, con toda seguridad no lo sabría, pero ése no era motivo para que no me lo dijera. Me revolví en el sillón tratando de disimular la incomodidad y esbocé una mueca en un intento por sonreír.

–Supongo que esperaremos a su esposa para platicar del edificio.

–Sin duda. Siempre tomamos las decisiones entre los dos.

–Espero que no tarde.

–¡Katerina! –gritó tan fuerte que me lastimó los oídos–. Siempre hace lo mismo cuando tenemos que hablar de algo importante, se larga. Voy a buscarla, está sorda, ¿sabe?

Desapareció. Y esta vez no me esforcé por identificar el lugar por donde se había ido. Escuché sus gritos cada vez más lejanos y apagados, como si la casa fuera inmensa. Ya casi eran las dos de la tarde y ni siquiera había tenido oportunidad de exponer el motivo de mi visita. Recogí mi cabello con ambas manos y lo sostuve por un momento en la nuca. Paciencia, ya estás aquí, pensé. De pronto la vieja apareció frente a mí, como si siempre hubiera estado en la sala. Me levanté del susto.

—¿En dónde se metió el bueno para nada de mi marido?

—Fue a buscarla. De hecho la llamó, pero…

—Y te dijo que soy sorda. El muy tarado —miraba las paredes, como si pudiera encontrarlo en los espejos.

—Siéntate voy a buscarlo.

—No se vaya, mejor lo esperamos aquí, no debe tardar.

—No, no. Tú no lo conoces, tengo que ir por él. Ahora vuelvo.

Ya no me importaba exponer los problemas del edificio; sólo quería irme, pero no sabía cómo salir de ese laberinto de espejos y resonancias por el cual los Katerinov aparecían y se esfumaban.

El reflejo del reflejo causaba un espejismo, como si la habitación donde me encontraba no tuviera límites. De pronto los espejos empezaron a tintinear. A lo lejos escuchaba a los Katerinov que discutían, pero el timbre de sus voces era tan parecido que apenas lograba distinguir quién decía qué cosa: *ven viejo inútil, tú tampoco sirves para nada, no voy a hacer lo que dices sólo porque tú lo dices, ya ensuciaste los pantalones otra vez, son míos y hago con ellos lo que quiero, viejo puerco, vieja amargada, como si no fuera suficiente haber vivido toda mi vida contigo, me dejas solo con todos esos espejos, eres cruel, no voy a salir, haz lo que quieras…*

Los gritos cesaron. Alguien lloraba. El tintineo se apaciguó. Volví a recorrer la habitación en busca de alguna salida. De pronto apareció la señora Katerinov.

—Lo siento querida. Veré que se resuelva lo del edificio —dijo mientras se atoraba un mechón de pelo atrás de una gran oreja puntiaguda. Iba a preguntarle si efectivamente conocía los problemas del edificio cuando se marchó sin despedirse.

La criada me condujo a través de un muro donde según yo no había puertas ni orificios. Nos encaminamos por un pasillo que parecía diferente al anterior, más largo y estrecho. La malhumorada mujer empujó un espejo y salí a la calle. Antes de que se cerrara la puerta escuché un adiós cantarín y cuando miré dentro vi al señor Katerinov reflejado en los espejos, despidiéndose con la mano.

Ya en la calle, caminé hacia la derecha y luego regresé a la izquierda. No reconocí la calle, ni la casa de los viejos. Las fachadas, la calle y el ambiente parecían de otra época. Mareada y con dolor de cabeza creía ver espejos por todos lados. De pronto escuché un estruendo de cristales rotos que duró varios segundos. Me alejé lentamente, como si mi desorientación hubiera ocasionado el desastre e intentara huir sin levantar sospechas. Cuando creí estar lo suficientemente lejos me eché a correr sin mirar atrás hasta el metro San Cosme.

A los pocos días los problemas del edificio se resolvieron. Y aunque los vecinos me nombraron emisaria si surgía otro inconveniente, nunca regresé con los Katerinov.

Índice

TAMBIÉN DISPONIBLE
Ciudad fantasma II
Relato fantástico de la Ciudad de México (XIX-XXI)

La calle de la mujer herrada

Bernardo Esquinca nació en Guadalajara en 1972. Es autor de las novelas *Belleza roja* (2005), *Los escritores invisibles* (2009), *La octava plaga* (2011); así como de los volúmenes de cuentos *Los niños de paja* (Almadía, 2008) y *Demonia* (Almadía, 2012). Actualmente pertenece al Sistema Nacional de Creadores de Arte y vive en el lugar que inspira la mayor parte de sus historias: el Centro Histórico de la Ciudad de México.

Vicente Quirarte nació en la Ciudad de México en 1954. Es poeta y ensayista, autor de dos volúmenes de cuentos, *Un paraguas y una máquina de coser* y *Morir todos los días*, donde la Ciudad de México influye decisivamente en la conducta de sus personajes, ya se trate del investigador que descubre en una casa de Santa María la Ribera el destino del *otro* Rimbaud; los adolescentes que convierten el Museo del Chopo en escenario de sus ceremonias; los encuentros con la voluptuosidad y su peligrosa vecina, la *Mujerte*. Su inclinación por la literatura fantástica aparece en *Sintaxis del vampiro*, posteriormente recogido y ampliado en *Del monstruo considerado como una de las bellas artes*. Sus libros dedicados a la Ciudad de México incluyen los títulos *Elogio de la calle. Biografía literaria de la Ciudad de México*, *Enseres para sobrevivir en la ciudad* y *Amor de ciudad grande*. Es investigador del Instituto de Investigaciones Bibliográficas y miembro de número de la Academia Mexicana de la Lengua.

Títulos en Narrativa

DEMONIA
LOS NIÑOS DE PAJA
Bernardo Esquinca

CARTOGRAFÍA DE LA LITERATURA
OAXAQUEÑA ACTUAL II
CARTOGRAFÍA DE LA LITERATURA
OAXAQUEÑA ACTUAL
VV. AA.

EL HIJO DE MÍSTER PLAYA
Mónica Maristain

EL BARRIO Y LOS SEÑORES
JERUSALÉN
HISTORIAS FALSAS
AGUA, PERRO, CABALLO, CABEZA
Gonçalo M. Tavares

HORMIGAS ROJAS
Pergentino José

BANGLADESH, TAL VEZ
Eric Nepomuceno

PURGA
Sofi Oksanen

CUARTOS PARA GENTE SOLA
POR AMOR AL DÓLAR
REVOLVER DE OJOS AMARILLOS
J. M. Servín

¿HAY VIDA EN LA TIERRA?
LOS CULPABLES
LLAMADAS DE ÁMSTERDAM
PALMERAS DE LA BRISA RÁPIDA
Juan Villoro

Títulos en Poesía

LA BURBUJA
PITECÁNTROPO
Julio Trujillo

ARTE & BASURA
Mario Santiago Papasquiaro

SI EN OTRO MUNDO TODAVÍA
Jorge Fernández Granados

EL PEQUEÑO MECANISMO
DE LOS ACONTECIMIENTOS
Fabián Casas

CAMPO ALASKA
José Javier Villarreal

GALAXY LIMITED CAFÉ
ESCENAS SAGRADAS DEL ORIENTE
José Eugenio Sánchez
*Premio Internacional de Poesía Fundación Loewe
a la joven creación 1997*

¿CON QUÉ RIMA TIMA?
Alejandro Magallanes

POBLACIÓN DE LA MÁSCARA
LA ISLA DE LAS BREVES AUSENCIAS
Francisco Hernández
*Premio Mazatlán 2010
Mención honorífica. Bienal Nacional de Diseño del INBA 2009*

A PIE
Luigi Amara

Títulos en Ensayo

Títulos en Periodismo y Crónica

VIAJE AL CENTRO DE MI TIERRA
Guillermo Sheridan

D.F. CONFIDENCIAL
J. M. Servín

8.8: EL MIEDO EN EL ESPEJO
Juan Villoro

Títulos en Negra

OTRAS CARAS DEL PARAÍSO
Francisco José Amparán

EL PERCHERÓN MORTAL
John Franklin Bardin

AL LADO VIVÍA UNA NIÑA
Stefan Kiesbye

CIUDAD FANTASMA

Selección, prólogo y notas de
de Bernardo Esquinca
y Vicente Quirarte
se terminó de
imprimir
y encuadernar
el 4 de noviembre de 2013,
en los talleres
de Litográfica Ingramex,
Centeno 162-1,
Colonia Granjas Esmeralda,
Delegación Iztapalapa,
México, D.F.

Para su composición tipográfica se emplearon las familias Bell Centennial y Steelfish de
11:14, 37:37 y 30:30. El diseño es de Alejandro Magallanes. La impresión de los interiores
se realizó sobre papel Cultural de 75 gramos y el tiraje consta de mil quinientos ejemplares.